Aileach

Aileach

Jackie Mac Donncha

Cló Iar-Chonnacht
Indreabhán
Conamara

An chéad chló 2010

ISBN 978-1-905560-60-8

Dearadh clúdaigh: Little Bird Design
Dearadh: Deirdre Ní Thuathail

Tá Cló Iar-Chonnacht buíoch de Fhoras na Gaeilge as tacaíocht airgeadais a chur ar fáil.

Faigheann Cló Iar-Chonnacht cabhair airgid ón gComhairle Ealaíon.

Clóchur: Cló Iar-Chonnacht, Indreabhán, Co. na Gaillimhe.
Teil: 091-593307 **Facs:** 091-593362 **r-phost:** cic@iol.ie
Priontáil: CL Print, Indreabhán, Co. na Gaillimhe.

i gcuimhne an dreama a chuaigh romhainn

Buíochas le Clár na Leabhar Gaeilge as coimisiún a bhronnadh i leith an tsaothair seo. Buíochas le Cló Iar-Chonnacht agus leis an bhfoireann uilig as a gcúnamh, a gcomhairle, a spreagadh agus a ngnaíúlacht.

Ba bheag nár thit an t-anam as Bairbre nuair a chonaic sí an sagart ag siúl anuas an bóithrín i dtreo an tí. Cé go raibh barúil mhaith aici go dtiocfadh sé am eicínt, lá eicínt, bhraith sí go raibh a cuid fola ag tréigint a colainne de réir mar a bhí sé ag tarraingt níos gaire.

"Bailígí libh as an mbealach nó go mbeidh an sagart imithe," a d'fhógair sí ar an mbeirt chlainne, Bríd agus Micheál.

Rug Bríd ar láimh ar Mhicheál agus tharraing, in aghaidh a thola, suas sa seomra beag é. Dhún sí an doras ina diaidh.

Bhí uafás in éadan Bhairbre agus í ag breathnú thart go deifreach ar an gcisteanach. Thóg sí ceirt den bhord agus chaith isteach sa drisiúr é. Thóg balcaisí éadaigh de dhroim na cathaoireach agus chaith uaithi iad suas sa seomra ina raibh an bheirt óga. Bhí Ciarán, an páiste, ina chodladh sa seomra céanna. Chuir an mháthair fainic ar an mbeirt gan an páiste a dhúiseacht. Bhreathnaigh sí amach an doras oscailte mar a bhreathnódh sionnach a bheadh sáinnithe i bpluais.

Go maithe Dia dom é, ar sí léi féin, ach b'fhearr liom an diabhal féin lena phéire adharc a fheiceáil ag teacht ná é seo. Sheasfainn mo thalamh in aghaidh fhear na n-adharc ach níl seans dá laghad agam leis seo.

Bhí a fhios aici go raibh dhá theach a mbeadh radharc maith acu ar a teach ise. Agus bhí a fhios aici go maith go raibh an sagart feicthe acusan, b'fhéidir, níos túisce ná ise. Mo léan, bhí a fhios acu cá raibh a thriall. Agus an chúis a bhí lena chuairt.

Is dóigh go raibh a fhios ag an bpobal anois é de bharr na seanmóra ag an aifreann Dé Domhnaigh seo caite. Fios ag cách cé a bhí i gceist. Maireann an biadán agus níor chlis a chuid síl ariamh. Agus maireann an náire chomh fada is a mhaireann an saol féin.

Bhí súil ag Bairbre nach dtiocfadh a fear céile ná an chuid eile de na gasúir isteach a fhad is a bheadh an sagart ansin.

Nach uafásach an mí-ádh a bhíonn ar dhaoine thar a chéile, a smaoinigh sí agus cos an tsagairt ar an tairseach. Níor bheannaigh an sagart isteach agus níor oscail Bairbre a béal. Thuig sí nach raibh sé de cheart aici cur as do theachtaire Dé.

"Is dóigh go bhfuil a fhios agat cén t-údar atá le mo chuairt?" ar seisean, ina sheasamh ag an mbord. Tharraing sé cathaoir chuige agus shuigh sé ag ceann an bhoird. Scaoil Bairbre síos í féin ar an gcathaoir ag an gceann eile. Ní raibh sí cinnte ar cheart di labhairt nó nár cheart. Bhraith sí go mbeadh sí dá cur féin i sáinn dá bhfreagródh sí. Ar ndóigh, bhí an oiread ómóis aici don choiléar agus don chlóca dubh is gur chreid sí nach raibh sé de cheart aici labhairt.

"Bheinn ag déanamh faillí ar an bpobal dá bhfanfainn i mo thost," ar seisean. Bhí sé ag labhairt go híseal, mar a bheadh le gasúr nó le duine nach mbeadh mórán meabhrach ann. "Tá a fhios agat go bhfuil croí na Maighdine Muire briste. Go bhfuil sí ag sileadh deor aríst. Tuigeann tú anois go bhfuil an choróin spíne dá casadh agus dá brú ar chloigeann Mhac Dé." Bhí a ghlór ag ardú de réir a chéile. "Tá a fhios agat go bhfuil na tairní dá dtiomáint isteach sna lámha agus sna cosa aríst. Agus an bhfuil a fhios agat cé atá i ngreim sa gcasúr? D'iníon, a bhean. D'iníon ionúin agus an bastard atá istigh ina bolg!"

D'oscail Bairbre a béal, mar a bheadh sí ar tí rud eicínt a rá.

"Ná labhair, a bhean! Ná labhair nó go mbeidh mo chuid ráite agamsa."

Chrap colainn Bhairbre sa gcathaoir mar a bheadh seilimide a mbuailfí ruainne salainn air. D'airigh sí an náire ag tógáil ceannais ar a corp. Dá n-osclódh poll san urlár agus í a shlogadh, d'fháilteodh sí roimhe. Thosaigh sí ag gol go ciúin, cé go ndearna sí a seacht míle dícheall cosc a chur leis na deora. Bhí faitíos uirthi go gcuirfeadh sé le taghd an tsagairt. Ach má thug sé faoi deara í, níor lig sé air féin é.

"Tá an eaglais agus an pobal náirithe agaibh. Mo phobalsa. Pobal Dé! Tá Dia trócaireach ach ní bheidh sé éasca an peaca seo a mhaitheamh. Ní mór daoibh troscadh agus aithrí a dhéanamh le súil go dtabharfaidh Dia cluas daoibh."

D'airigh Bairbre chomh suarach le cac cait ar chosán. D'airigh sí mar nach raibh inti ach feithide ghránna a bhféadfadh an sagart leicíneach a dhéanamh de faoina chois. Cheap sí go raibh colainn an tsagairt ag méadú le chuile abairt dá raibh sé ag cur de nó go raibh sé ag líonadh na cisteanaí.

Bhí an náire mar ualach ar a corp. Bhí faitíos uirthi go bhfeicfeadh sé an marc a bhí fágtha ar an mbord ag an gceirt. Bhí míoltóg ag dordán thart os a gcionn agus bhí faitíos a croí uirthi go luífeadh sí ar an sagart. Bhí náire uirthi faoin mbail a bhí ar an teach.

"Is dóigh go bhfuil a fhios agat nach féidir le d'iníon fanacht sa gceantar seo. Go gcaithfidh sí imeacht! Agus imeacht go luath. B'fhearr dúinn uilig dá mbéarfaí an páiste sin in áit eicínt eile i bhfad ó bhaile. Tá sé sách dona a bheith ag iompar páiste ach bheadh sé i bhfad níos measa dá dtiocfadh an páiste sin ar an saol anseo sa bparóiste. Caithfidh mise a thaispeáint go bhfuil mé i gceannas ar mo thréad. Taispeáin thusa go bhfuil tú i gceannas ar d'iníon, rud nár thaispeáin tú go dtí seo. Sé an áit is fearr do d'iníon, anois, ná an Magdalene Asylum. Déanfaidh mise na socruithe sin mé féin. Beidh deis aici a purgadóir a dhéanamh ann. Beidh sí in ann aithrí mhaith a dhéanamh san áit sin. Glanfar agus sciúrfar an peaca marfach sin atá ar a hanam. Glanfar a croí agus a corp agus, b'fhéidir, le cúnamh ó Dhia, go mbeadh áit di sna flaithis lá eicínt."

Nuair a luaigh an sagart an Magdalene Asylum, tháinig anbhá ar Bhairbre. Ní raibh móran eolais aici, ná ag aon duine, faoin eagraíocht, ach bhí ráflaí ann a dúirt nach dtagadh aon duine ar ais ón Magdalene Asylum. Agus bhí sé ráite nach bhfeiceadh máthair a páiste aríst go brách, mar go scartaí ó chéile iad agus go dtugtaí an páiste do dhaoine eile le tógáil.

Bhí a ceann cromtha ag Bairbre, í ag cuimilt bos a láimhe lena hordóg. Níorbh é seo a bhí leagtha amach aici dá hiníon.

“Tá mo chuid ráite agam. Tá súil agam nach mbeidh orm a theacht arís!” Bhí an sagart imithe amach mar a tháinig sé isteach, mar shiolla gaoithe. D’fhan a bholadh sa gcisteanach.

Sa seomra, chuala Bríd chuile fhocal dár tháinig ó bhéal an tsagairt. Chuala Micheál cuid mhaith de freisin, agus cé nach raibh sé ach ocht mbliana d’aois, thuig sé go maith go raibh olc ar an sagart agus go raibh an t-olc sin dírithe ar a mháthair.

Bhí radharc ag Bríd amach tríd an bhfuinneog agus chonaic sí an sagart ag dul suas an bóthar. Ba é Micheál an chéad duine a labhair.

“Cén fáth a raibh an sagart ag troid le Mama?” ar sé go híseal lena dheirfiúr.

“Ní troid a bhí ann, a Mhichíl. Is mar sin a labhrann an sagart.”

“Ach bíonn glór difriúil aige le linn an aifrinn,” arsa Micheál. “Ní mar sin a bhí a ghlór an lá a raibh sé ag cur na gceisteanna ormsa.”

“Ceisteanna?” arsa Bríd. “Cén sórt ceisteanna a bhí sé a chur ortsa?”

“Cúpla seachtain ó shin. Théis dom a bheith ag freastal ar an aifreann. Dúirt sé liomsa fanacht. Lig sé ar ais go dtí an scoil an buachaill eile. Thart ar chúl theach an phobail a thug sé mé. Bhí muid ag siúl siar is aniar. Chéap mé gur mar gheall ar an bhfíon – ólann mé féin agus an leaid eile braon fíona scaití sula dtagann an sagart isteach sa sacraistí ar maidin, braon beag bídeach – bhí faitíos orm go bhfuair sé an boladh."

"Ach cén sórt ceisteanna a chuir sé?" Bhí Bríd ar bís.

"D'fiafraigh sé díom an mbíodh tusa ag dul amach san oíche. D'fhiafraigh sé díom cé mhéid seomra sa teach seo, agus cén áit a gcodlaíonn muid uilig. D'fhiafraigh sé cé a bhí ag codladh le chéile."

"Agus céard a dúirt tú leis?" arsa a dheirfiúr.

"Dúirt mise nach raibh a fhios agam. Chuir sé na ceisteanna céanna aríst orm agus dúirt mé leis nach raibh a fhios agam. D'éirigh sé an-mhífhoighdeach liom théis tamaill agus dúirt sé liom a dhul ar ais chuig mo rang sa scoil!"

"Cén fáth nár inis tú é seo dúinn cheana?" arsa a dheirfiúr leis.

"Bhí faitíos orm go bhfaighinn leadóg faoin gcluais," arsa Micheál. "Sé an chaoi a maródh Mama nó Deaide mé."

"Is dóigh go raibh an ceart agat. Ní chreidfí thú ar aon bhealach."

"Ná hinis do Mhama ná do Dheaide é, a Bhríd," a d'impigh an buachaill beag.

"Níl baol orm," arsa Bríd, "tá a ndóthain trioblóide acu gan a bheith ag cur leis."

Leag sí a lámh go cineálta ar a bolg agus thosaigh dá chuimilt go ciorclach. Bhí an leanbh taobh istigh ag priocadh agus ag ciceáil níos mó ná ariamh.

"Fan anseo ar fhaitíos go ndúiseoidh Ciarán," ar sí lena deartháir.

Ní raibh mórán foinn ar an mbuachaill fanacht mar a bhí sé ach ní dhearna sé aon chasaoid.

Bhí Bairbre fós ina suí ag an mbord nuair a tháinig Bríd anuas as an seomra. Bhreathnaigh an bheirt bhan ar a chéile. An mháthair agus an iníon. Bhí a fhios ag chaon duine acu nár ghá don duine eile labhairt.

Bhí éadan na máthar mar a bheadh sí théis a hanam a bheith díolta aici leis an diabhal.

Bhraith Bríd go raibh boladh coimhthíoch sa gcisteanach anois.

Bhí fuarallas ar Bhríd nuair a shuigh sí suas go tobann sa leaba. Bhí sí théis bríonglóid ghránna a bheith aríst aici. Sa mbrionglóid, bhí sí ina luí ar an gcnocán i nGarraí an Tobair, í lomnocht. Bhí sluaite daoine ag siúl thart timpeall uirthi. D'aithin sí chuile dhuine acu. B'as a baile féin iad. Bhí fír, mná agus gasúir óga ann. Iad ar fad ag monabhar ach chuala sí go soiléir gach dá raibh á rá acu: "Imigh, a Bhríd. Imigh leat as an áit seo. Tá muid náirithe agat. Beidh faoiseamh againn agus tú imithe. Níl ionat ach mar a bheadh fiabhras ann. Tá scamall mór dubh os cionn na háite. Imigh leat agus imeoidh an scamall."

An oíche roimhe sin ba é an scéal céanna é. Ach sa mbrionglóid bhí an páiste ag teacht ar an saol. Bhí an páiste ag labhairt nuair a rugadh é, ag béiceach in ard a ghutha, "Cén fáth go ndearna tú é seo, a Mhama, mise a thabhairt ar an saol agus gan tú pósta?" Léim an páiste amach tríd an bhfuinneog agus as go brách leis. Chaith sí an chuid eile dá saol dá thóraíocht ach ní raibh fáil air in aon áit.

Bhí an ceann ba mheasa aici an oíche sin théis chuairt an tsagairt ar a máthair: bhí sí sa scuaine a bhí ag dul i dtreo na haltóra chun an chomaoineach a ghlacadh. Chuaigh sí ar a glúine ag na ráillí mar a chuaigh chuile dhuine eile. Bhí an sagart ag dul anonn is anall ag tabhairt amach an chomaoineach, ach nuair a tháinig sé chomh fada léi, níor stop sé, ach lean air chuig an gcéad duine eile. Cheap sí gur dearmad a rinne an sagart agus d'fhan sí ar a glúine. Nuair a tháinig sé chomh fada léi arís, stop sé. "Éirigh suas as sin, agus imigh leat amach as teach Dé! Tá an diabhal istigh ionat. Imigh leat agus ná bí ag tabhairt drochshampla do dhaoine cráifeacha sa séipéal!"

Shiúil sí síos idir na suíocháin, a bhí plódaithe le daoine. A héadan ar lasadh leis an náire a bhí uirthi. A bolg ag méadú agus ag méadú le chuile choiscéim dár thóg sí. Bhí a bolg chomh mór ar deireadh nár léir di an doras amach. Thosaigh adharca ag fás as a bolg. Adharca fada gránna, iad ag casadh agus ag lúbadh chuile threo. Bhí daoine ag cogarnaíl agus í ag dul tharstu, "Tá an diabhal istigh inti. Tá an diabhal istigh inti. Tá an diabhal istigh inti."

Bhí na gasúir ag síneadh méire agus ag gáire. Bhí gáire na ngasúr ag ardú agus ag ardú nó go raibh an séipéal lán leis. Ní raibh ballaí an tséipéil in ann an brú a sheasadh, agus phléasc an gáire amach nó gur scaip ar fud an cheantair. Bhí an gáire ag titim mar chlocha géara sneachta ar an bparóiste ar fad.

Bhí pianta beaga ag priocadh ar Bhríd ó mhaidin. Pianta beaga géara nach mairfeadh i bhfad. Thart ar mheán lae, bhíodar ag teacht níos minicí. Bhíodar mar a bheadh crampaí ann. Agus sin a dúirt a máthair nuair a d'inis Bríd di nach raibh sí ag aireachtáil go maith.

"Níl tú ach ocht mí," arsa Bairbre lena hiníon, í ag iarraidh foighid a chur inti. "Ní mhairfidh na pianta sin i bhfad. Ba cheart duit luí ar an leaba go ceann tamaill. B'fhéidir go ndearna tú an iomarca oibre inniu." Obair an tí a bhí ar siúl ag Bríd le tamall anuas agus a máthair ag tabhairt cúnaimh taobh amuigh ar an bhfeirm. Bhí cleachtadh mhaith ag an mbeirt ar obair chrua, istigh agus amuigh.

Thóg sí comhairle a máthar agus thug an seomra, agus an leaba, uirthi féin. Ach níor mhaolaigh an leaba na pianta. Faoi thráthnóna bhí lúb ar a colainn le pianta damanta. Ní raibh maith di luí agus ní raibh maith di éirí. Ba é a barúil féin go raibh an páiste réidh le theacht ar an saol, cé nach raibh a haimsir caite ná baol air.

Faoi dheireadh, d'éirigh sí agus shuí sí ar cholba na leapan. Gan súil aici leis, d'airigh sí an t-uisce te ag scairdeadh síos idir a dhá cois. Lig sí scread chráite ar a máthair, a bhí sa gcisteanach. Chuaigh an scread ar fud an tí. Scread a cheap a máthair a chuaigh ar fud na tíre, agus í féin ag rith i dtreo an tseomra.

Nuair a chonaic an mháthair céard a bhí ag tarlú, chuir sí iachall ar Bhríd luí siar ar an bpiliúr. Bhí strainc ar éadan a hiníne le pian. Ghlaoigh an mháthair ar Cholm, an mac ba shine.

"Rith siar tigh Mhicil agus abair le Mary a theacht chomh sciobtha agus is féidir léi. Níl aon chall duit tada eile a rá."

Rith sé trí intinn Bhairbre nach raibh rudaí ag titim amach mar a bhí socraithe ag an sagart. Ach seo rud amháin nárbh fhéidir a chur ar ceal.

Chuaigh sí síos chun na cisteanaí. Tháinig ar ais le mias a raibh uisce bog ann agus éadach bán tumtha síos ann. D'fháisc sí an t-éadach agus thosaigh sí dá chuimilt ar bhaithis Bhríde. Bhí Bairbre théis naonúr clainne a thabhairt ar an saol go dtí seo. Cheap sí nach raibh Bríd ach ocht mí, ach b'fhéidir go ndeachaigh muid amú sna dátaí, ar sí ina hintinn féin. Bhí an leanbh seo réidh le theacht, bhí sí cinnte de.

Bhí Bríd bhocht in anchaoi ar an leaba. Bhí sí ag aireachtáil chomh traochta is gur cheap sí go raibh sí le bás a fháil noiméad ar bith. Scaití bhí na pianta chomh dian is go bhfáilteodh sí roimh an mbás. Ar éigean a chuala sí na glórtha nuair a tháinig Mary isteach sa seomra. Cheap sí go raibh an seomra lán le ceo agus le daoine, iad ag siúl anonn is anall, síos agus suas, ag cogarnaíl. Chuala sí í féin ag geonaíl, ansin ag béiceach go hard, ag screadach amach sa gceo, ag iarraidh cabhair ar Dhia agus ar na naoimh.

Ní raibh a fhios aici céard a bhí ag tarlú ag íochtar na leapan, má bhí tada. D'airigh sí duine eicínt ag cuimilt ceirt fhliuch ar a héadan a thug faoiseamh beag di. Bhí brú millteach ar a bolg agus daoine ag béiceach uirthi brú tuilleadh. Chuala sí a máthair ag fógairt ar a hathair a dhul amach as an seomra. Ansin ag glaoch ar ais air, ag rá leis tuilleadh uisce a thabhairt isteach.

Bhí idir cheo agus bháisteach sa seomra anois. D'airigh Bríd í féin ag sciorradh le fána, fána a bhí chomh sleamhain le leac oighir. Síos, síos le fána. Chuala sí scread léanmhar agus thit in aghaidh a cos isteach san uisce fuar. D'airigh sí í féin ag ardú aríst go barr uisce. Cheap sí gur chuala sí scread bheag eile ach bhí lámha dá brú síos, síos, síos, nó gur luigh sí ar shlat a droma ar an ngrinneall. Chonaic sí éadain ar bharr uisce ag breathnú anuas. Bhí éadan an tsagairt ar cheann acu, agus chonaic sí coinneal ag spréacharnaíl.

Gíoscán an dorais an chéad rud a chuala a cluasa agus a thug uirthi a súile a oscailt. An chéad rud a chonaic sí ná stumpa de choinneal ar an mbord beag lena taobh. Ní raibh sí ar lasadh. An chéir go tiubh ar an bpíosa beag a bhí fanta. D'aithin sí ón solas nádúrtha a bhí sa seomra go raibh sé ina lá.

Bhain pian nimhneach osna aisti agus í ag iompú sa leaba, ag breathnú i dtreo an dorais. Ar iompú di mhothaigh sí go raibh a corp folamh. Ansin a tháinig an oíche roimhe sin ar ais agus mhothaigh sí pléisiúr nár mhothaigh sí ariamh roimhe sin.

Máthair! Máthair! ar sí léi féin.

"Tá mé i mo mháthair!" Bhí aoibhneas ina héadan, í ag breathnú i dtreo an dorais.

Bhí a máthair ina seasamh sa doras, agus a hathair ins sheasamh ar a cúl. An chéad gharpháiste, agus iad chomh hóg fós! Ba cheart go mbeadh an sonas le léamh ar a n-éadan. Ach ní fhaca Bríd é. Bhí a teanga i bhfostú ina béal leis an triomach.

"Mo leanbh," arsa Bríd go lag, "spáin dom mo leanbh."

Shiúil a máthair go drogallach i dtreo na leapan.

"Tá do leanbh marbh, a stór," a deir a máthair.

"Tabhair dom mo leanbh," arsa Bríd arís.

Bhreathnaigh Bríd ar a hathair, le súil go mbeadh sé in ann chuile shórt a chuir ina cheart. Go ndéarfadh sé go raibh an leanbh ina codladh go fóill beag. Ach bhí a cheann faoi aige. Ní raibh sí ábalta a éadan a fheiceáil.

"Cá bhfuil mo leanbh, a Dheaid?" a scread sí. Chroch a hathair a cheann agus dhearc sé sna súile uirthi.

D'fháisc Bríd a súile go crua, tharraing a glúine suas i dtreo a smige, chuir a dhá láimh thart ar a cloigeann agus rinne ceirtlín di féin sa leaba. D'airigh sí mar a bheadh géagán deilgneach dá tharraingt trasna ar a croí.

Teach agus comhluadar coimhthíoch a bhí ann ó thitim tráthnóna. Thug Bríd an coimhthíos faoi deara níos mó ná aon duine eile. Bhí an teach mar a bheadh teach tórraimh ann. Fíorbheagán cainte. Agus rud ar bith a dúradh ba i gcogar a dúradh é, mar a bheadh faitíos go gcuirfí as don mharbhán. Nó go ndúiseofaí páiste a bheadh ina chodladh. Cé nach raibh mórán solais ón lampa a bhí crochta ar an mballa, bhraith Bríd go raibh cúinní dorcha sa teach anocht nach raibh ann ariamh cheana. Agus cé go raibh tine mhór bhreá ar an teallach, d'airigh sí fuar.

Fiú an páiste óg, Ciarán, nach raibh ach trí bliana d'aois, bhí sé mar a bheadh lagmhisneach air: ina dhúiseacht sa gcliabhán ach gan gíog as.

Bhí an gadhar ina luí os comhair na tine dá ghoradh féin, agus scaití, d'osclódh sé a shúile agus bhreathnódh thart ar an líon tí mar a bheadh sé ag fiafraí cén t-údar a bhí leis an atmaisféar aisteach seo a bhí thart air anocht. Bhí sé ar nós an chailm mhínádúrtha sin a thagann roimh an stoirm.

Bhí an mháthair ag níochán soithí, na soithí céanna a nigh sí leathuair roimhe sin agus gan aon úsáid bainte astu ó luath sa tráthnóna. An t-athair ag gríosú na tine, tine nár theastaigh aon ghríosú uaithi. Gan smid as aon duine. Gan de thorann sa teach ach torann na soithí sa mias agus an tlú ag scríobadh an iarta.

Bríd féin, bhí sí mar a bheadh cearc ghoir ann. Bhí sí ina suí leis an doras dúnta, gan de mhisneach aici corraí ar an stól. Bhí a fhios aici dá ndéanfadh sí cor, go stopfadh chuile dhuine ar an toirt agus go n-iompóidís ina treo.

Bhí Máirín, a bhí cúig bliana níos óige ná Bríd, ina suí ar an urlár gar don áit a raibh an gadhar. Bhí cóipleabhar scoile os a comhair, ag a cosa. Bhí sí in ainm is a bheith ag déanamh ceachtanna. Bhí peann luaidhe ina láimh agus í dá tharraingt anonn is anall san oscailt bheag a bhí idir leacracha an teallaigh. Anois is arís d'ardaíodh sí a cloigeann agus bhreathnaíodh sí ar Bhríd.

Bhí cúigear eile den chlann thart ar an mbord, ag roinnt trí chathaoir le chéile. Bhí Colm, an buachaill ba shine, imithe ag cuartaíocht.

"Cén fáth a gcaithfidh Bríd a dhul go Meiriceá, a Mhama?"

Bhí an ciúineas a bhí sa teach chomh domhain is gur léim chuile dhuine ag an am céanna agus bhreathnaigh siad ar an té a labhair. Fiú an gadhar, chas a shúile i dtreo an bhoird.

Aindriú, duine de na buachaillí ag an mbord, a labhair. Maidin an lae sin a dúradh leis an gcuid eile den chlann go mbeadh Bríd ag imeacht go Meiriceá an lá arna mháireach.

Bhreathnaigh Bairbre ar a mac. Bhí a fhios aici go gcuirfí ceisteanna mar seo ach ní raibh sí cinnte cén freagra a thabharfadh sí.

"Mar go gcaithfidh sí, sin an fáth," arsa an mháthair, agus fios aici nach freagra maith a bhí ann.

"Ach cén fáth go gcaithfidh sí?" a deir Máirín. Bhí misneach ag teacht dóibh anois.

"Mar is í an duine is sine í. Agus imíonn an duine is sine i dtosach." Ghoin sé go croí í a leithéid a rá agus bhí súil aici nár thug aon duine faoi deara í.

"An mbeidh Colm ag imeacht ina diaidh, mar sin?" arsa Máirín.

"Níl a fhios agam, a stór," arsa a máthair.

"An bhfuil Meiricea i bhfad ó bhaile, a Mhama?" Antoine a labhair an uair seo.

"Go deimhin, tá sé i bhfad ó bhaile. Is dóigh go bhfuil sé ar an taobh eile den domhan," arsa Bairbre.

"An bhfuil an domhan mór, a Mhama?" arsa Antoine.

"Níl a fhios agam, ach ón méid atá cloiste againn, tá, agus an-mhór."

"Cén bealach a bheas ag Bríd agus í ag dul go Meiriceá, a Mhama?" Máirín a labhair an uair seo.

"Ar bhád, céard eile."

"Go Meiriceá a bhí an *Titanic* ag dul, a Mhama." Mairín aríst.

"Ó, a Mhaighdean, ná labhair ar rudaí mar sin, a Mháirín."

"Cá fhaid go mbeidh Bríd ar ais?" arsa Antoine.

Bhreathnaigh Bairbre anonn ar a hiníon. Bhí a fhios ag Bairbre nach bhfeicfeadh sí a hiníon go brách théis an lae arna mháireach. Chonaic sí a fear céile, Peadar, ag breathnú isteach sa tine.

Cén fáth gur ar mháithreacha a chuirtear na ceisteanna crua seo? ar sí ina hintinn.

"Tiocfaidh sí ar ais lá eicínt, nuair a bheas meall mór airgid déanta aici."

"An mbeidh muide saibhir nuair a thiocfas Bríd ar ais as Meiriceá?" Ba é Andriú, a chuir tús leis na ceisteanna, a labhair.

Níor fhreagair a mháthair an iarraidh seo.

Bhí Bríd ina suí gan cor aisti. D'airigh sí mar a bheidís ag caint faoi dhuine eicínt eile seachas í féin. Duine nach raibh sa teach chor ar bith. Ach nach mar sin a bhí ó chaill sí an páiste dhá mhí roimhe sin. Ní dhearna sí tada ar a conlán féin ó shin: an socrú a rinneadh chun í a chur go Meiriceá; an phaisinéireacht a tháinig an lá cheana ó uncail a hathar i mBoston; na gioblaigh éadaigh a fuair a máthair ó dhuine eicínt ar an mbaile; an socrú a bhí déanta le fear cairr í a thabhairt go Queenstown ar maidin; an seanmhála garbh ar chuir a máthair chuile rud ann a bheadh ag teastáil ar an turas; an bonn coisricthe a bhí fuaite ar an taobh istigh den mhála.

Stop na ceisteanna ó na gasúir. Bhíodar uilig an-socair anois. Scaití, bhreathnaíodh duine acu ar Bhríd, le hiontas cheapfá. Nó le héad? Is dóigh gur cheap an dream ab óige go mba iontach an rud a bheith sách sean le go mbeadh cead agat imeacht ón mbaile leat féin.

Bhí Bríd féin go mór trína chéile. Na rudaí a bhí théis titim amach le cúpla mí anuas nach raibh aon dul uathu. Rudaí a chuir cor ina cinniúint. Gan smacht ná stiúir aici ar an treo a raibh a saol ag dul. Cheap sí i gcónaí nuair a bheadh sí ocht mbliana déag d'aois go mbeadh smacht aici ar a saol féin, a dhul ina rogha áit agus pé rud ba mhian léi a dhéanamh. Mar a tharla, ní raibh smacht aici ar thada, fiú a saol ná a corp féin. Bhí cinneadh déanta ag an sagart agus ghlac a muintir leis. Chaithfeadh sí imeacht. Ach, ar a laghad, ní raibh uirthi a dhul san áit a bhí socraithe ag an sagart di. Dá dhonacht a raibh leagtha amach di, bheidh saoirse de chineál aici i Meiriceá, nó sin a chreid sí. Agus nach raibh sí ag dul chuig uncail a hathar. Cé nach bhfaca sí an fear ariamh, ní fhéadfadh sí a rá gur strainséar a bheadh ann. Ach bhí sí go mór anuas ar a hathair is ar a máthair, chomh maith leis an sagart. Dá mbeadh fear aici agus í pósta leis, ní bheadh aon trioblóid. Nach iontach an chumhacht atá ag fir, gan milleán orthu faoi thada. B'aisteach nár luaigh an sagart fear léi an lá sin a raibh sé istigh.

"Tá sé in am agaibh a bheith ag bailiú libh a chodladh. Beidh sibh i bhur suí go luath ar maidin." Ní raibh Bairbre ag iarraidh níos mó ceisteanna a fhreagairt, go mór mór ceisteanna nach raibh aon fhreagra aici orthu.

D'éirigh na gasúir nuair a d'iarr a máthair orthu é agus thug a n-aghaidh ar a gcuid leapacha. Ní raibh duine acu nár bhreathnaigh ar Bhríd agus iad ag dul thar bráid.

Ní raibh fágtha sa gcisteanach ach Bríd agus a tuismitheoirí.

Radharc na ngasúr agus iad ag dul thart a chorraigh an tocht a bhí ar ancaire i gcliabhrach Bhríde. Thosaigh sí ag gol go socair.

"Ó, muise, a Bhríd, ná bí ag briseadh do chroí. Ní hé deireadh an tsaoil é a dhul go Meiriceá." Bairbre ag déanamh bréag, ag iarraidh foighid a chur ina hiníon.

"Ní mar gheall ar Mheiriceá," arsa Bríd go caointeach.

"Tá a fhios agat go mba é toil Dé an rud eile." Níor chroch a hathair a cheann agus é ag labhairt.

"Níl maith ag caoineadh," arsa a máthair léi. "Ní thabharfaidh caoineadh ar ais an té atá imithe."

"Chaoinfinn lán mara dá gceapfainn go dtabharfadh sé ar ais mo leanbh. Ach tá a fhios agam nach dtabharfaidh agus sin an fáth go bhfuil mé ag caoineadh, a Mhama," arsa Bríd. Níor thuig an mháthair caint na hiníne.

Tháinig Colm isteach óna chuairt. Thug sé sracfhéachaint ar an triúr a bhí sa gcisteanach roimhe. Chuir sé a chloigeann faoi agus thug an seomra air féin. Bhí a fhios ag a mháthair go raibh a chroí dubh de bharr a dheirfiúr a bheith ag imeacht chomh fada ó bhaile le Meiriceá. Bhíodar an-mhór le chéile, é féin agus Bríd. Ghoill bás an linbh go mór air, bhí an mháthair cinnte de sin. Bhí sé cosúil lena athair, gan mórán le rá acu beirt, ach bhí sé an-éasca ag Bairbre an bheirt fhear a léamh. Bhí a fhios aici céard a bhí ag dul trína n-intinn.

"B'fhearr duit do chnámha a shíneadh, a Bhríd," a deir a hathair. "Tá turas fada amach romhat. Trí seachtaine mhóra fhada ar dhroim na farraige. Go dtuga Dia slán go ceann scríbe thú."

Síneadh gan sásamh, arsa Bríd ina hintinn féin. Tá a fhios agam go rímhaith nach gcodlóidh mé néal anocht.

D'éirigh sí den stól agus thug a haghaidh ar an seomra gan focal a rá.

Bhíodar uilig ina suí leis an maidneachan. Ní raibh aon chall do Bhríd dúiseacht, mar níor dhún sí súil ar feadh na hoíche. Ag cur an tsaoil a bhí caite trína chéile agus ag iarraidh an ród roimpi a shamhlú.

Nuair a tháinig gealadh beag ar an lá, d'éirigh sí. Bhí a hathair agus a máthair sa gcisteanach roimpi. Níor labhair ceachtar den triúr. Chaon duine gafa ag a gcuid smaointe féin: a máthair ag puitseáil sa drisiúr; a hathair ag baint torainn as buicéid ag an doras dúnta; Bríd ina staic i lár an urláir, ag an mbord. Tháinig an chuid eile den chlann ina scuainí.

Ina seasamh ag an mbord, bhí Bríd ag cuimhneamh ar an lá a raibh an sagart ina shuí ar an gcathaoir ag seanmóireacht lena máthair. Chuimhnigh sí ar an mboladh a d'fhág sé ina dhiaidh. Bhí a bholadh imithe le gaoth anois ach bheadh a lorg fágtha ar an gcuid eile dá saol agus ar shaol a muintire.

Réitigh an mháthair bricfeasta dóibh. Arán agus tae. Gan goile ag aon duine acu. Bhí corrfhocal anois is arís. Is beag fonn cainte a bhí orthu.

Thosaigh an gadhar ag tafann nuair a chuala sé torann mínádúrtha. Nuair a chuala an líon tí an torann céanna taobh amuigh ar an tsráid, bhíodar uilig imeaglach. Thóg an mháthair mála Bhríde agus d'oscail doras na sráide. Rith an gadhar amach de sciotán, an dream ab óige amach leis na sála aige. Ní facthas aon charr ar an tsráid cheana ariamh agus b'iontas mór a bhí ann

"Seo leat anois," a deir a máthair le Bríd. Shiúil sí féin amach leis an mála. Thóg Bríd a cóta ina láimh agus lean sí í.

Bhíodar cruinnithe thart ar an gcarr. Doras an chairr ar oscailt agus an tiománaí ag an roth. Sheas Bríd tamall beag ag doras an chairr ag breathnú ó éadan go héadan. Níor chorraigh aon duine. Níor labhair aon duine. Ní raibh aon teangmháil eatarthu. Shuigh Bríd isteach sa gcarr agus shín Colm an mála chuici. Bhí a hathair ina sheasamh ansin agus Ciarán ina ghabháil aige. Bhí Bríd ag breathnú go huaigneach ar na gasúir. Í ag rá léi féin go mba é seo an radharc deireanach. Bhí aoibh an gháire ar Chiarán, an t-aon duine nár thuig i gceart gach a raibh ag tarlú.

Bhí a hathair ag breathnú síos ar an talamh. Níor labhair sé focal.

Bhreathnaigh Bríd thart, ag tóraíocht aghaidh a máthar. Ach bhí sí imithe ar ais sa teach. Tharraing an carr amach as an tsráid agus chas suas an bóthar, i dtreo an bhóthair mhóir.

Bhreathnaigh Bríd ar ais agus an carr ag imeacht leis i dtreo an bhóthair. Bhí súil aici go bhfaigheadh sí radharc eile ar a máthair. Ní bhfuair. Bhí an chuid eile ina seasamh ansin sa spota ina raibh an carr. An radharc a d'fhan in intinn Bhríde ná an gadhar, é ag croitheadh a dhriobaill ó thaobh go taobh.

Turas leadránach a bhí sa turas go Queenstown. Bhí an oiread ag dul trí intinn Bhríde is nach raibh aird ar bith aici ar an timpeallacht. Ní raibh dhá fhocal as an tiománaí ar feadh an achair ach a aird go hiomlán ar an mbóthar amach roimhe. Bhíodar ag tarraingt isteach ar chathair Luimnigh sular labhair sé chor ar bith.

"Seasfaidh muid anseo agus beidh cupán tae nó caife againn," ar sé, ag stopadh an chairr le taobh bialann bheag ar thaobh an bhóthair. "Stopaim anseo i gcónaí. Tá tae agus ceapairí maithe ann." Ní raibh fonn dá laghad ar Bhríd corraí as an gcarr. B'fhearr léi go mór fada leanacht ar aghaidh agus ceann scríbe a bhaint amach chomh luath agus ab fhéidir, ach bhí náire uirthi an tiománaí a dhiúltú. Agus bhí a fhios aici ina croí istigh nach mbeadh sé de dhánacht inti cur ina aghaidh.

Gnáth-theach a bhí ann agus seomra beag leagtha amach mar bhialann. Cheannaigh an tiománaí tae agus ceapairí. Nuair a bhlais Bríd den tae ní raibh aiféala uirthi a thuilleadh gur stop siad. D'ardaigh an deoch te a croí de bheagán, cheap sí. Ach dhiúltaigh a goile an t-arán. Bhí faitíos uirthi é a ithe den bhuíochas mar bhí a fhios aici go gcaithfeadh a goile ar ais aríst é. Bhrúigh sí an pláta aráin i dtreo an fhir a bhí léi.

"Beidh aiféala ort," ar seisean, "tá píosa fada bóthair amach romhat fós."

"Níl aon dúil agam ann," arsa Bríd, "ach go raibh míle maith agat."

Nuair a bhíodar ar ais sa gcarr agus ar an mbealach aríst, chrom Bríd a ceann.

Bhí an dorchadas ag titim nuair a bhaineadar Queenstown amach. Ní raibh Bríd cinnte céard a tharlódh ansin ach dúirt an tiománaí léi go raibh aithne mhaith aige ar theach aíochta gar don chéibh.

"Ná bíodh imní ort, tabharfaidh Mrs Looney aire mhaith duit."

D'fhág an tiománaí slán ag Bríd go luath théis í a chur in aithne do Mrs Looney. Bean mhór fhearúil a bhí i Mrs Looney. Bean a thabharfadh a dhóthain le déanamh d'fhear ar bith, cheap Bríd. Ach thuig sí luath go maith go raibh an bhean agus a cosúlacht ag dul in aghaidh a chéile. Chuir sí chuile chaoi ar Bhríd. Cleachtadh mhaith aici, deir sí, ar dhaoine a fheiceáil ag imeacht. Chuir sé brón uirthi nach raibh aon duine ag teacht ach daoine i gcónaí ag imeacht. Thug sí suipéar breá do Bhríd agus mhol di a dhul a chodladh nuair a bhí sé caite aici: "B'fhéidir gur beag codladh a gheobhas tú aríst go ceann seachtaine, nó tuilleadh."

Níor thuig Bríd cé chomh cloíte is bhí sí nó gur leag sí a cloigeann ar an bpiliúr bog sa seomra teolaí a bhí aici. Bhí sí ina cnap ar an toirt, í saor ó bhrionglóidí is ó thaibhsí.

Ghlaoigh Mrs Looney uirthi le breacadh an lae. Cé go mba leisce léi éirí as an leaba chompordach, bhí athbheos inti théis oíche bhreá chodlata.

Théis an bhricfeasta, mhol Mrs Looney do Bhríd a dhul díreach go dtí an chéibh.

"Ní mór duit a bheith dána anois," a chomhairligh an bhean di. "Ná lig d'aon duine tú a bhrú as an mbealach. Má ligeann, siúlfaidh siad ort. Bí fuinniúil, nó lig ort go bhfuil. Beidh na céadta ag dul an treo céanna leat agus iad uilig ag iarraidh a bheith chun tosaigh ort. Ní bheidh aon trua duit ar an turas fada seo. Coinnigh do chomhluadar féin chomh fada agus is féidir. Agus ná dearmad, ag am ar bith, go bhfuil de cheart agatsa a bheith ar an mbád sin chomh maith leis an gcéad duine eile. Tá tú óg láidir. Seas do thalamh." Cé go raibh canúint na mná coimhthíoch do Bhríd, thuig sí an chuid ba mó dá raibh dá rá ag an mbean eile.

D'fhág sí slán ag Mrs Looney, an mála garbh ar

iompar aici, agus thug aghaidh ar an gcéibh agus ar an mbád a thabharfadh go Meiriceá í.

Bhí an chéibh cosúil le nead seangán: daoine ag tarraingt as chuile cheard, iad uilig ag dul an treo céanna agus málaí ar iompar acu. Bhí na céadta ann, mheas Bríd.

Nuair a tharraing mairnéalach trasna an rópa a bhí os cionn an chloird, bhíodar ag bascadh a chéile. Bhíodar mar a bheadh tine ar a gcraiceann.

Bhí comhairle Mrs Looney in uachtar a hintinne ag Bríd agus b'in é a thug uirthi a bheith sa gcéad ráig a rinne a mbealach ar bord.

Bhí gníomhairí ansin ag tógáil dindiúirí ó na paisinéirí. Chaith Bríd a raibh de Bhéarla aici ag freagairt a gcuid ceisteanna. Chaithfí chuile dhuine a liostáil. Fiafraíodh di cén seoladh i Meiriceá a raibh sí ag triall air, cén airde a bhí sí, cé mhéid airgid a bhí ina seilbh. Ceisteanna nach ndearna mórán céille di ach a d'fhreagair sí chomh maith agus ab fhéidir.

Thug mairnéalach chomh fada le ceann de na cábáin í. Seomra beag bídeach le leapacha beaga os cionn a chéile. Ó ba í an chéad duine, thug an fear a rogha leaba di. Roghnaigh sí an ceann ba ghaire don urlár. Bheadh sí in ann a mála a chur faoin leaba. Mheas sí go mba é an áit ba sábháilte é. Chuimhnigh sí ar an bpointe go bhféadfaí an mála a ghoid uaithi. Ach cheap sí ansin go raibh a mála chomh suarach is nach mbacfaí leis. Bhí málaí eile feicthe aici, málaí a bhí i bhfad níos galánta ná a mála féin. Cheap sí dá ngoidfí féin é, nárbh fhiú tada a raibh istigh ann. Gan ann ach giobail a bhí caite cheana ag daoine eile.

Nuair a d'airigh Bríd luascadh beag ón mbád, rinne sí a bealach suas an staighre go dtí an deic. Bhí gach a raibh ar bord cruinnithe ar deic. B'in mar a bhreathnaigh sé do Bhríd. Bhí an bád ag tarraingt amach ón gcéibh. D'éirigh léi spás beag a fháil ag an ráille agus d'fhan sí ansin ar feadh tamaill ag breathnú isteach ar Queenstown agus ar Éirinn, a bhí ag dul i laghad de réir a chéile. Bhí chuile dhuine dá raibh thart uirthi chomh tostach léi féin, iad uilig ag smaoineamh a gcuid smaointe féin, cuid ag crochadh láimhe ar a ngaolta agus cairde a bhí fágtha ar an gcéibh acu.

Nuair a bhí talamh a tíre dúchais imithe beagnach as amharc bhuail an cumha í. Fios aici go mba é seo an radharc deireanach. A muintir thiar ansin in áit eicínt, i gcoirnéal beag bídeach. Í féin ag tréigean a teaghlaigh agus a tíre. Chuir sé iontas uirthi chomh sciobtha is a d'athraigh a saol in achar gearr. Nuair a chuimhnigh sí ar an sagart agus an leagan amach a bhí aige, mheas sí nach raibh sí ag tréigean. Mheas sí go raibh sí féin dá tréigean ag a muintir agus ag a tír. Bhuail an smaoineamh í, den chéad uair, go mb'fhéidir nach bhfuair a leanbh bás chor ar bith.

"Cá bhfios dom nár tugadh chun bealaigh í in áit eicínt? Cá bhfios dom nach raibh lámh an tsagairt ann? Go bhfuil sí ag dream eicínt ag an bpointe seo agus iad ag caint léi, dá bréagadh, dá bogadh?"

Ach ní dhéanfadh a muintir bréag. Agus nach ndúirt Colm go bhfaca sé féin an oíche sin iad, agus an beart beag.

Ba bheag nár stop a croí nuair a chuala sí duine ag labhairt ina teanga féin taobh thiar di. An rud ba mhó a bhí sí ag iarraidh a sheachaint ar an turas ná daoine óna ceantar féin. Daoine a mbeadh a fhios acu go maith cén fáth a raibh a haghaidh ar Mheiriceá.

"Fan anseo le mo thaobh, a Agnes." Chuala sí glór mná. Chas sí thart agus chonaic sí bean i ngreim láimhe i gcailín beag agus seisear eile leis na sála aici. Níor aithnigh Bríd í. Lig sí osna faoisimh. Chonaic an bhean Bríd ag breathnú orthu.

"Is dóigh go bhfuil muid ag triall ar an áit chéanna," arsa Bríd.

"Sa mbád céanna," arsa an bhean eile. "Seo é an dara turas agamsa ach teastaíonn níos mó súl uaim an iarraidh seo."

"Bhí tú i Meiriceá cheana?" a cheistigh Bríd le hiontas. Chreid sí i gcónaí nach dtagadh aon duine abhaile as Meiriceá. Ní fhaca sí féin aon duine ag teacht ariamh. Ná níor chuala sí faoi aon duine a tháinig.

"Rugadh cuid acu seo thall," arsa an bhean, ag sméideadh ar na gasúir. "Tá a n-athair ag fanacht liom thall." D'éirigh croí Bhríde nuair a chuala sí an méid seo. Ba iontach an faoiseamh di duine mar seo a bheith ar an mbád céanna léi. Ní aireodh sí an turas chomh huaigneach, b'fhéidir.

"Nach iontach an misneach atá agat tabhairt faoi thuras chomh fada, leat féin," arsa Bríd.

"Níl sé chomh coimhthíoch anois ó rinne mé an aistir cheana, anonn is anall."

"Mar sin féin, níl sé éasca agus gasúir agat le súil a choinneáil orthu," arsa Bríd léi.

Fuair sí amach go mb'as an bparóiste ba ghaire di

féin an bhean agus na gasúir, go raibh a fear céile san arm i Meiriceá agus gur throid sé sa gcogadh. Bhí sé saor as an arm anois agus bhí rún acu a dhul go San Francisco amach anseo, le cur fúthu ann.

"Bríd an t-ainm atá ormsa."

"Monica," arsa an bhean, ag croitheadh lámh le Bríd.

"An go Boston atá tú ag dul, a Bhríd, nó go Nua-Eabhrac?"

"Go Boston," arsa Bríd. "Tá uncail le m'athair ann. Beidh mé ag fanacht leis."

Ón am sin amach chaith Bríd an chuid ba mhó dá ham i gcuideachta na mná eile. Bhí sí buíoch gur casadh uirthi í. Bhí daoine eile in aithne do Mhonica ar an turas chomh maith. Cúigear nó seisear as an gceantar céanna.

Maidir leis an gcomhluadar a bhí ag Bríd sa gcábán, ní mórán caidéise a chuireadar uirthi. Triúr deirfiúracha as Ciarraí ag dul chuig deirfiúr eile a bhí i Meiriceá le bliain. D'fhan an triúr i gcuideachta a chéile ar feadh an turais. Níor chuir Bríd mórán aithne orthu.

Níor airigh Bríd an turas chomh fada is a cheap sí a bheadh sé.

D'éirigh sí maidin amháin agus bhí a fhios aici ón tormán a bhí le cloisteáil ar an deic go raibh rud éigin as an ngnáth ag tarlú. Nuair a chuaigh sí in airde bhí gach a raibh ar bord ansin roimpi, iad uilig ag breathnú sa treo céanna, cuid acu ag síneadh méire i dtreo rud éigin. Ba ansin a thuig sí ón gcaint ina timpeall go raibh Nua-Eabhrac le feiceáil ag íochtar na spéire.

Thóg sé tamall maith ar Bhríd a theacht ar a cara. Chonaic sí ar deireadh iad, cruinnithe in éineacht. Bhí argóint ar bun idir an buachaill beag, a bhí thart ar dheich mbliana d'aois, agus duine dá dheirfiúracha.

"Féach mise," ar seisean, "tá mé níos gaire do Mheiriceá ná tusa."

Agus an ceart aige, de bharr na háite a raibh sé ina sheasamh.

"Cheap mise go dtógfadh an turas seo coicís," arsa Bríd le Monica, "ach níl muid ach ocht lá ar an bhfarraige!

"Sin a bhfuil ann anois, a Bhríd. An chéad turas a thug mise, thóg sé trí lá dhéag. Agus bhí drochaimsir againn. Tá na báid seo ag fáil níos sciobtha de réir a chéile. Beidh muid ar chéibh Nua-Eabhrac ar maidin amáireach." Stop an chaint ar feadh tamaill, iad ag breathnú uathu ar an spota beag a bhí le feiceáil ag chuile dhuine ag fíoríochtar na spéire.

Sin é anois mo sprioc, arsa Bríd ina hintinn. Cibé rud atá le tarlú dom, is ansin a tharlóidh sé. Bhraith sí go raibh a goile ag iompú bunoscionn istigh. Bheadh sí ag brath anois ar an spota beag sin a bhí ag dul i méid os comhair a súl.

"Beidh ort a dhul trí Oileán Ellis, a Bhríd," arsa Monica go smaointeach. "Déantar scrúdú ar na himircigh ar an oileán."

"Ní raibh a fhios agam é sin," arsa Bríd.

"Tá sé mar sin le dhá scór bliain. Tá na milliúin imithe tríd go dtí seo. Daoine a mbíonn marach orthu, cuirtear ar ais abhaile iad." Thug Monica faoi deara an imní a tháinig ar Bhríd. "Ní call imní duitse, a

Bhríd. Tá tú óg láidir. An cineál duine atá ag teastáil i Meiriceá. Ní bheidh mise ag dul tríd mar is saoránach anois mé, de bharr m'fhear a bheith san arm, agus sa gcogadh. Tógfaidh bád farantóireachta ón mbád seo sibh chuig an oileán. Beidh muid ag fágáil slán ag a chéile. Ach táim cinnte go mbuailfidh muid le chéile i mBoston am éigin. Beidh muide ag cur fúinn i mBoston go ceann bliain eile. Castar muintir na hÉireann ar a chéile ansin go minic."

Sin é an faitíos atá orm, arsa Bríd ina hintinn féin.

Bheadh sí brónach ag scaradh le Monica agus na gasúir. Bhí an-chairdeas ag Bríd agus Agnes, an cailín beag seacht mbliana, le chéile. Ach d'aireodh sí uaithi uilig iad.

Bhí uaigneas ar Bhríd ag dul a luí an oíche sin. D'iompaigh an brón ina eagla tar éis tamaill agus bhí a bolg ina chíor thuathail le faitíos roimh an áit a raibh sí ag dul. Bhraith sí dá mbeadh Monica agus na gasúir léi go céibh Nua-Eabhrac nach mbeadh sí chomh heaglach. Ach chuimhnigh sí ar chrógacht na mná eile: ag tabhairt aghaidh ar Mheiriceá le gasúir óga. D'airigh an leaba bheag a bhí aici mar nead anois. Gan fonn uirthi scarúint léi. Níor chodail sí néal.

Bhí sí ar dhuine den chéad dream ar deic ar maidin. Chonaic sí foirgnimh mhóra arda isteach uaithi, iad eascairdiúil ina súile. Shamhail sí na céadta agus na mílte daoine ag siúl idir na foirgnimh sin. Éireannaigh go leor ina measc. Bhí sí in éad le faoileán mór a chonaic sí ag tornáil thart sa spéir os a cionn. É ag lúbadh agus ag casadh de réir mar a bhí an ghaoth ag breith air. An tsaoirse le brath aici sna sciatháin mhóra scartha. Nóiméad ag dul treo amháin, nóiméad an treo eile. Rinne sí gáire beag. Meas tú an raibh an t-éan sin in Éirinn ariamh, nó an Meiriceánach a bhí ann? Le canúint aisteach choimhthíoch. Scaití bhí sé mar dhuine a bheadh ag dul abhaile ó aonach agus é ag tabhairt dhá thaobh an bhóthair leis. Chuala sí Monica ag glaoch a hainm:

"Is gearr go mbeidh an bád ag caitheamh ancaire, a Bhríd, gar d'Oileán Ellis. Sin é an t-oileán ansin ar chlé. Lady Liberty ar an taobh eile." Cheap Bríd go raibh an t-oileán cosuil le dún daingean. Ní raibh sé ag breathnú an-chairdiúil ón áit a raibh sise. Cá bhfios nach príosún a bheadh ann di. Nach scaoilfí isteach go Meiriceá chor ar bith í. Bheadh sí náirithe, dá gcuirfí abhaile arís í. Agus bheadh a muintir náirithe, leis. Déarfaí go raibh sí neamhghlan. Nach raibh Meiriceá sásta glacadh léi dá bharr.

"Iompair tú féin go maith ar an oileán," arsa Monica léi. "D'fhéadfá a bheith ansin tamall fada. Siúil go díreach, fiú má bhíonn tú marbh le tuirse. Taispeáin dóibh go bhfuil tú sláintiúil. Beidh dochtúirí ann chun tú a scrúdú. Bíonn duine ag bun an staighre agus duine ag an mbarr. Cuirfear go leor ceisteanna ort. Ceisteanna atá curtha cheana ort ach a gcaithfear a bhfreagairt arís."

Bhí an bád ag moilliú faoin am seo. Bhí cathair Nua-Eabhraic san ainmhéid anois, cheap Bríd. Níor thuig sí go bhféadfadh foirgnimh chomh hard a bheith ann. Iad caol agus ard ag an am céanna. Bhí an bád ag stopadh, agus cheana féin bhí bád farantóireachta ag déanamh caol díreach orthu. Tharraing sí isteach le taobh an bháid eile agus ba ghearr go raibh daoine ag bordáil.

D'fhág Monica agus na gasúir slán ag Bríd. Iad araon uaigneach ag scaradh. Chuaigh Bríd sa scuaine a bhí ag bordáil, agus ba ghearr go raibh siad ar an mbealach go hOileán Ellis. Níor thóg an turas ach cúpla nóiméad.

Bhí maoir ag treorú na bpaisinéirí isteach sa bhfoirgneamh mór buí a bhí ar an oileán. B'fhíor do Mhonica: bhí fear ina sheasamh ag íochtar an staighre, é ag breathnú ar chuile dhuine ag dreapadh. Bhí go leor daoine chun tosaigh ar Bhríd agus bhí pian ina droim de bharr an mhála.

Isteach i seomra mór a tugadh iad. Nuair a chonaic Bríd an scrúdú ag dul ar aghaidh, cheap sí go raibh sé mar aonach sa mbaile: cigire ag scrúdú fhiacla na ndaoine mar a bheadh ag scrúdú capall nó beithíoch, ag lúbadh a gcuid géag, ag scrúdú a gcraicinn, féachaint an raibh aon mharc no marach ar aon duine.

Bhí cigire eile ina shuí ar chathaoir ard ar an gcéad urlár eile. Nuair a tháinig Bríd chomh fada leis, thart ar thrí huaire an chloig théis a theacht ar an oileán, bhí fonn uirthi an mála a tharraingt ina diaidh ar an urlár. Bhraith sí go raibh tonna meáchain ann. Ach smaoinigh sí ar an gcomhairle a thug Monica di. D'iompair sí go maith í féin. Agus d'iompair sí an mála.

Thosaigh na ceisteanna aríst: Cén áit ar rugadh í?

Cá bhfuil sí ag dul? Cén seoladh? An méid airgid atá ina seilbh? Scrúdaíodh a cuid súl, a cuid fiacla, a cuid ingne, a cluasa, a dhá láimh. Nuair a bhí an scrúdú thart, chuir an cigire marc le cailc ar chába a cóta. Shín sé a mhéar i dtreo dorais a bhí ag ceann eile an tseomra.

"*America is through that door. Welcome to America*," ar sé. Bhí a bealach déanta tríd an muileann ag Bríd. Ní raibh a fhios aici ar cuireadh aon duine ar ais abhaile nó nár cuireadh.

Ar an taobh eile den doras bhí a lán suíochán agus daoine ina suí ag fanacht leis an mbád farantóireachta chun iad a thabhairt chuig céibh Nua-Eabhrac. Cuireadh anraith agus píosa aráin ar fáil dóibh. Anraith a raibh dath an bháis air. Ach d'ith Bríd le cíocras. Ní raibh aon chaill air. Bhí a cuid misnigh ar ais. An sprioc bainte.

Bhí na céadta ag fanacht ag céibh Nua-Eabhraic nuair a tharraing an bád le balla. Daoine ag fanacht lena gcuid gaolta. Cairde ag fanacht le cairde. Agus fear a raibh hata dearg air!

Thug Bríd faoi deara ar an bpointe é. Shiúil sí ina threo agus stop os a chomhair.

"Tusa Bríd?" Ní raibh sí cinnte an ceist a bhí ann nó nárbh ea.

"Mise Bríd," ar sise.

"Seo leat."

Le breathnú air, mheas Bríd go raibh uncail a hathar chomh coilgneach le dris. Níor chuir sé aon chaidéis eile uirthi. Bhí súil aici go mbeadh sé fiosrach faoin mbaile. Go mbeadh ceisteanna aige. Cé is moite go raibh a dóthain ceisteanna cloiste ag Bríd cheana féin.

D'iompaigh sé agus lean sí é. Ba dóigh léi gur ghlac sé leis go raibh sí ina dhiaidh. Dúradh léi ag fágáil an bhaile go mbeadh hata dearg air. Níorbh iontas go raibh daoine ag breathnú air.

Théis go raibh bliain caite i mBoston aici chuir sé iontas fós ar Bhríd gur as adhmad a bhí na tithe ar fad déanta. Níorbh é seo an pictiúr a bhí ina hintinn agus í ag fágáil na hÉireann. Shamhlaigh sí go mbeadh na tithe i Meiriceá san ainmhéid. Chuir sé iontas an domhain uirthi nuair a chonaic sí na tithe den chéad uair. Bhíodar i bhfad níos lú ná mar a cheap sí a bheadh. D'inis uncail a hathar di go raibh Boston faoi chrainnte tráth agus gur dhóigh gurbh é sin an fáth a bhí leis gur tógadh na tithe as an adhmad sin.

Ag siúl síos an bóthar i dtreo na trá a bhí sí. Í ag stánadh ar na tithe ar a bealach. Tar éis tamaill tháinig sí go dtí an *Avenue*, mar a thug sí air. Bhí crainnte ina líne dhíreach ar chaon taobh den bhóthar. Crainnte a bhí curtha le fada, cheap sí, mar go raibh siad an-ard. Bhí an *Avenue* thart ar cheathrú míle ar a fhad. Barra na gcrann dúnta in uachtar agus iad ag bualadh in aghaidh a chéile mar a bheidís ag cur cumhdach ar an bpíosa bóthair a bhí ar rith faoina gcosa. Cé go raibh an lá go hálainn, dhorchaigh sé nuair a shiúil sí isteach faoi na crainnte. Bhí fuaraíocht ar an bhfoscadh. Agus í thart ar leath bealaigh, thug sí faoi deara go raibh léasacha solais ag bualadh na talún anseo is ansiúd. Bhreathnaigh sí in airde agus chonaic sí mar a bheadh an ghrian briste suas ina píosaí beaga ag gach oscailt a bhí idir na duilleoga. Ba mhór an spórt an radharc é.

Nuair a shiúil sí amach ar an taobh eile, ba bheag nár chaoch an ghrian í. Bhí an t-uisce os a comhair amach.

Bhí sé sin cosúil le mo shaol, arsa Bríd léi féin ag breathnú siar, agus is dóigh gur mar sin a bheas. Mar an *Avenue*, scaití gruama dorcha, léas solais anseo is ansiúd scaití eile, agus an oscailt ar an taobh eile chun deis a thabhairt do rogha a dhéanamh.

Shuigh sí ar cheann de na binsí ag an trá. An lá go hálainn, gan smeámh as aer. Bhí a rogha binse aici. Ní raibh deoraí thart ach í féin. Agus mar sin ab fhearr léi é. Níor shantaigh sí aon chomhluadar daonna. Bhraith sí go raibh a fhios ag chuile dhuine an fáth ar imigh sí ón mbaile. Cheapadh sí scaití go mbíodh daoine ag breathnú uirthi mar a bheidís ar an eolas. Bhí a fhios aici nach raibh ann ach rud a bhí dá fheiceáil di ach ní raibh sí in ann na smaointe sin a sheachaint. Go dtí seo, níor casadh aon duine as a ceantar féin di, agus bhí sí buíoch. Ní raibh sí ag iarraidh aon cheisteanna ná aon fhreagraí. Ná aon bhiadán.

Bhí an náire a thug sí ón mbaile léi i bhfostú ina cuimhne agus bheadh go brách.

Ní bhíodh idir í agus uncail a hathar ach an corrfhocal. Giallachán d' fhear, duine dorcha gruama a gceapfá go raibh meáchan an domhain ar a ghuaillí. Bhí a bhean básaithe le roinnt blianta agus a chlann imithe go California. Bhraith Bríd nach raibh aon chaidreamh idir é agus a chlann.

Níor fhiafraigh sé ariamh di cén chaoi a raibh an chuid a d'fhág sí ina diaidh sa mbaile. Cheap Bríd go raibh sé sin an-aisteach. Nuair a labhraíodh sé chor ar bith, bhí sé mar a bheadh sé ag cangailt a chuid cainte. Chuala sí tráthnóna amháin é ag gnúsacht nach raibh an saol go maith aige nuair a tháinig sé go Meiriceá. Ba leis féin a bhí sé dá rá níos mó ná le Bríd. Bhíodh sé go síoraí dá seachaint, mar a bheadh fiabhras uirthi a bheadh tógálach. Cé go raibh sí eaglach go maith nuair a tháinig sí i dtír, bhí dóchas aici go dtabharfadh sé comhairle di agus cúnamh a dhul i dtaithí ar an tír nua seo. Ach níor thairg sé tada ach seomra "nó go mbeidh fios an bhealaigh agat féin", a deir sé. Mar a bheadh sé dá mhaíomh uirthi. B'fhada le Bríd go mbeadh sí imithe go háit eicínt eile, agus bhraith sí go mb'fhada leisean an rud céanna. Cé gurbh é a fuair an post di, níor fhan sí ina chuideachta ach aon mhí amháin. An lá a raibh sí ag imeacht as a theach den uair dheireanach, thug sí faoi deara an fuinneamh agus an faobhar a bhí faoi, mar a bheadh an t-ualach trom tógtha dá ghuaillí ar deireadh. Má bhí aon chroí ann, bhí sé éadrom an lá sin. Ní raibh aon aiféala ar Bhríd a bheith ag fágáil an tí agus ní raibh a leath sin féin ar uncail a hathar.

Fuair sé post di ag coinneáil tí do dhochtúir agus

a bhean. Bhí cúigear gasúr sa teach, an duine ab óige acu sé bliana d'aois. Bhí an obair dian agus ó dhubh go dubh ach bhí sí ag fanacht sa teach leo, rud a chabhraigh go mór léi. Ba iad an dochtúir agus a bhean a chuir comhairle ar Bhríd freastal ar scoil oíche agus a dhul le banaltracht. Cheapadar go mbeadh sí go maith ag obair le gasúir.

Bhí lá saor óna cuid oibre aici inniu. Síos uaithi san uisce bhí trí ghé de chineál eicínt. Iad an-chúthail, cheap sí, mar go raibh a gcloigeann faoi uisce acu an chuid is mó den am. Ar an gcladach bhí dhá fhaoileán ag iomrascáil le chéile, ag iarraidh ceannas a bhaint amach ar phíosa dramhaíola a bhí caite ar an ngaineamh. Faoina cosa féin, bhí arm dreancaidí mara ag pocléimnigh mar a bheadh tinte ar a gcraiceann.

"Nach bhfuil sé thar am agaibhse a bheith in ann siúl," ar sí leo, "nó cén fáth ar bhronn Dia cosa oraibh?"

Síos ar thaobh a láimhe clé, chonaic sí scata fear ag tógáil tithe beaga galánta. Bhí garraí beag le chuile theach agus na garranta ag síneadh síos go farraige. Bhí corrchéibh tógtha ag íochtar na ngarranta agus báid phléisiúir feistithe i gcuid acu.

As corr a súl, thug sí faoi deara go raibh daoine eicínt ag teacht anuas an trá. Chas sí a ceann go cúramach agus chonaic sí beirt ógánach i ngreim láimhe ina chéile, iad ag déanamh ar an trá. Stop siad thart ar leathchéad slat uaithi agus chonaic sí gur Áisigh a bhí sa mbeirt.

Dá gceapfadh sí gur Éireannaigh a bheadh iontu bheadh sí bailithe léi an treo eile.

Bhí buideál líomanáid dhearg ag Bríd agus mála beag a raibh cúpla píosa de cháca milis thíos ann. D'oscail sí an mála agus thóg amach píosa dén cháca milis agus thosaigh sí dá ithe. Nuair a bhí píosa ite aici, bhain sí an claibín den bhuidéal líomanáid dhearg agus chroch ar a cloigeann é.

"*Happy birthday, Bríd*," ar sí léi féin, "*happy birthday*." Rinne sí gáire beag nuair a chonaic sí an slua a bhí ar a cóisir breithe: trí ghé, dhá fhaoileán agus marcra dreancaidí mara ag pocléimnigh ar a dtaobh. Bhí sí naoi mbliana déag d'aois inniu.

Faoi cheann coicíse bheadh sí ag freastal ar an scoil oíche. Nuair a bheadh sí cáilithe mar bhanaltra, bhí rún aici post a fháil i Nua-Eabhrac. Bheadh sé i bhfad níos éasca a dhul amú i Nua-Eabhrac.

Bhí sé ciúin sa mbarda ospidéil i Washington Heights, cé is moite de chorrscread bheag anois is arís ó scamhóga linbh a raibh ocras air, nó cóitín fliuch. Ag breathnú suas ar an gclog a bhí os cionn an dorais, chonaic Bríd go raibh sé a leathuair théis a dó. Leath na hoíche caite cheana féin, ar sí léi féin.

Shiúil sí síos an dorchla, ag sá a cloiginn isteach sna bardaí anseo is ansiúd. Thaithin an t-am seo den oíche léi. Bhí na hothair ar fad chomh socair síochánta ina gcuid leapacha. A gcuid páistí nua-bheirthe le taobh na leapacha, ina gcliabháin bheaga. Cheap Bríd nach raibh aon radharc chomh suaimhneach síochánta agus bhí cineál bróid uirthi féin go raibh sí freagrach as cuid den tsuaimhneas sin.

Chonaic sí go raibh Mrs Gilbert ag tabhairt cíche dá leanbh féin. An t-aon duine a bhí ina dúiseacht ag an tráth sin. Chuireadh an radharc seo gliondar ar chroí Bhríde: an leanbh ag diúl ar an máthair.

"*Everything alright here, Mrs Gilbert?*" arsa Bríd i gcogar.

"*Everything is fine, Nurse. Thank you.*"

"*Well, good night then, Mrs Gilbert.*"

"*Good night, Nurse.*"

Shiúil Bríd tamall eile nó go dtáinig sí go dtí Seomra 15. Bhí suim ar leith aici i Mrs Cannon agus a leanbh.

Shiúil sí isteach go ciúin. Bhí an mháthair agus a leanbh go sámh. Bhreathnaigh sí ar an bpáiste caoin ceansa a bhí te teolaí ina cliabhán beag. Tháinig Leona ar an saol mí roimh am. Chaith an páiste leochaileach tréimhse i ngoradán san ionad dianchúraim. Teicneolaíocht nua-aimsireartha a bhí sa ngoradán do pháistí a rugadh roimh am. Sna blianta roimh theacht an ghoradáin is beag seans a bheadh ag Leona, ach anois bhí an codán ag ardú i gcónaí.

An mháthair féin, chaill sí go leor fola leis an mbreith. Sin an fáth go raibh sí féin agus a leanbh anseo fós. Bheidís ag dul abhaile amáireach.

Ní bhíodh an deis ag Bríd ná ag na haltraí eile an oiread seo aithne a chur ar mháithreacha ná ar a gcuid leanaí de ghnáth.

Aireoidh muid uainn amáireach thú, a Leona. Bríd ag caint ina hintinn leis an leanbh. Ba chóir duit fanacht anseo linn. Nach tú a lasfadh suas an saol dorcha seo atá againn. Sin anois a dhéanfas tú amáireach: fan thusa anseo agus lig do Mhamaí a dhul abhaile. Nach bhfuil triúr ag fanacht sa mbaile léi?

Chaith sí súil thart uirthi, í ag samhlú na háite gan an leanbh gleoite seo ann. Chuir an páiste geoin bheag aisti agus tharraing aird Bhríde ar ais ar an gcliabhán. Bhreathnaigh sí ar an máthair ach níor chuir geoin an ghasúir isteach uirthi de réir cosúlachta. Tháinig geoin eile ón gcliabhán agus chrom Bríd agus thóg suas an páiste. Tharraing sí an leanbh isteach lena hucht chun í a chur ar a sócúlacht. Bhog sí í féin anonn is anall ar feadh tamaill. Bhí seanchleachtadh aici ar a post agus ba ghearr go raibh an leanbh socair.

"*You're cut out to be a mother.*" Fadó an lá a dúirt an mátrún le Bríd é. Agus ní uair amháin a dúirt sí é. "*I've watched you since you came on the staff here and you have a very special way with babies and young children. Yes, you're most definitely cut out to be a mother.*" Chuir an leanbh ina gabháil scread bheag aisti agus thosaigh Bríd ag siúl agus dá bogadh ag an am céanna.

Ní fhaca Bríd aon leanbh chomh galánta ariamh. Agus bhí go leor leanaí feicthe aici ó tháinig sí sa bpost seo. Shiúil sí amach doras an tseomra, í ag crónán go bog don pháiste. Síos an dorchla léi go mall, i dtreo an staighre. Shiúil sí síos go cúramach. Ag íochtar an staighre chas sí faoi chlé agus a haghaidh ar an bpríomhdhoras. Bhí sí fós ag crónán go bog. Shiúil go mall staidéarach nó go raibh sí os comhair an phríomhdhorais. "*Bríd, you're cut out to be a mother*" – focla an mhátrúin ina cluais. "*I'm afraid we had to remove your womb, Bríd. I'm so sorry, you being so young, but we had no choice*" – focla dochtúra sa gcluais eile. Ní raibh a rogha féin ariamh aici, agus ní bheadh go brách ba chosúil. Ach bhí rogha anois aici. Ní raibh idir í agus an rogha sin ach an doras seo.

Chonaic sí íomhá sa doras gloine. Bean mheánaosta agus páiste beag gleoite ina gabháil. Íomhá a chuir gliondar ar a croí.

"*Definitely cut out to be a mother.*"

Ba ansin, san íomhá, a chonaic sí fear, nó an raibh beirt ann, nó an fear agus bean a bhí ann, iad ag siúl go hamhrasach i dtreo an chladaigh. Beartán beag ar iompar ag duine acu. Beartán a raibh éadach garbh thart air. Ba chosúil le bithiúnaigh iad a bhí théis robáil a dhéanamh. Chuaigh siad thar claí agus ansin bhíodar ag ísliú de réir a chéile nó go raibh siad imithe as amharc, slogtha sa dorchadas.

Ina hintinn chonaic Bríd Mrs Cannon ina suí suas sa leaba, a dhá láimh scartha amach aici, ag screadach, "*My child! Where's my child?*"

Bhrúigh duine eicínt an doras isteach agus bhris an íomhá a bhí sa ngloine. Ní raibh Bríd ná a páiste ansin ní ba mhó. D'aithin Bríd gur tiománaí otharchairr a bhí ann, agus leis na sála aige bhí beirt ag iompar sínteáin. Ar an sínteán bhí bean a bhí an-ghar do pháiste a bheith aici. Bhí an t-éadach a bhí fúithi fliuch agus fuilteach. D'aithin Bríd na comharthaí ar an bpointe.

Chas sí agus shiúil go sciobtha i dtreo an staighre.

Suas na céimeanna léi de sciotán, síos an dorchla agus isteach i Seomra 15. Bhí an mháthair ina codladh go sámh. Leag Bríd an leanbh ar ais sa gcliabhán agus tharraing an chuilt bheag aníos ar a colainn. Bheadh sí féin ag teastáil sa seomra máithreachais.

Bhí píosa den lá caite ag Bríd san American Folk Art Museum ar West 43rd. Bhí dúil i ngreim le n-ithe aici agus chuaigh sí chomh fada le Café K ar 48th, áit a mbíodh sí isteach ann go minic. Nuair a bhí sí sách bhuail uirthi síos Park Avenue go dtáinig sí go 42nd ar Fifth Avenue. Bhí sí ag déanamh ar an leabharlann phoiblí ar 42nd, áit a gcaithfeadh sí go leor ama ó tháinig sí go Nua-Eabhrac ar dtús. Chuir sí aithne ar dhaoine ann agus chastaí ar a chéile arís iad agus bhíodh comhrá acu. Bhí sí ag déanamh ar chéimeanna na leabharlainne, nuair a thug sí faoi deara fear ina shuí ar an dara sraith céimeanna. Fear mór breá, an-díreach ina cholainn. Níor mhaith léi go gceapfadh sé go raibh sí ag stánadh air agus lig uirthi féin go raibh sí ag breathnú thairis i dtreo na leabharlainne. Thug sí faoi deara go raibh hata lena thaobh ar an gcéim agus chonaic sí corrdhuine ag caitheamh sóinseáil airgid isteach sa hata. Fear déirce, arsa Bríd léi féin. Ach níor chosúil le fear déirce é.

Dá buíochas, chas a súile nó go raibh sí ag breathnú caol díreach air. Agus eisean ag breathnú uirthi. Bhraith sí nach raibh aon dul as aici ach labhairt leis, agus bhuail sí bleid air.

Agus b'in mar a chuir sí aithne ar Samuel den chéad uair.

Ba é Samuel an t-aon duine ar an domhan a chuir aithne ar Bhríd, agus an t-aon duine ar domhan ar inis sí a rún dó.

San arm a chaith sé cuid dá shaol, a d'inis sé di. Post a thaithin go breá leis. É pósta agus beirt ghasúr aige. Ansin cuireadh go Vítneam é ag troid i gcogadh a raibh sé go mór ina choinne.

"*Vietnam ruined my life*," ar sé le Bríd lá, go luath théis di bualadh leis ar dtús. "*I came home to my family after being discharged. I put down my bag, which had some little presents for my family, and knocked at the door of my house. My wife stood inside but did not open the door. And then a man appeared behind her and placed his two hands on her shoulders. She then opened the door. They both looked at me, and then deliberately lowered their eyes. So I picked up my bag and walked away. As I walked, I could still feel their eyes on the place where my left hand used to be. I threw my bag, and its contents, as far as I could into the Hudson. My country also turned its back on me. I've been homeless ever since. Nobody has any use for a one-armed man.*"

Bhuaileadh Bríd agus Samuel le chéile chuile thráthnóna Aoine. Ba é sin an t-aon lá a mbíodh sé ina shuí ar na céimeanna ag an leabharlann. Níor inis sé di cá mbíodh sé ar laethanta eile ach bhí a fhios aici go mbíodh a leithéid in áiteacha eile ar fud na cathrach.

"*I used to sit in Bryant Park, just behind the library there, but some asshole in uniform told me to shift. Too many beautiful people passing through. So I moved house to the front of the library. The view from here is so much better.*"

"*I'm very grateful to that asshole, because if he hadn't moved you on, we would never have met!*" arsa Bríd, lándáiríre.

Bhí Samuel chomh héadromchroíoch is dá mba leis cathair Nua-Eabhraic. Bhí áit eicínt aige le dhul san oíche agus bhí sé sásta leis sin. Níor chuir Bríd ceist ariamh air cén áit a gcodlaíodh sé. Thugadh sí dinnéar dó scaití, dá mbeadh dúil aige ann, agus cúpla dollar chuile sheachtain. Bhíodh comhráití fada acu beirt chuile Aoine agus b'fhada le Bríd go dtagadh an lá sin den tseachtain. Chuir an comhluadar cineál crutha ar a saol nach raibh air go dtí sin. Agus rinne sé maith an domhain di an damba a bhí ina hintinn ar feadh a saoil a scaoileadh le fána.

Bhíodh daoine ag stánadh ar an mbeirt acu agus iad ina suí ar an gcéim sin chuile Aoine. Ní bhíodh aon drochéadach ar Samuel agus bhíodh sé glan néata i gcónaí. Ach, fós, bhíodh daoine ag stánadh. Cheap sí nár thug Samuel an stánadh sin faoi deara. Ach thug, mar dúirt sé léi tráthnóna amháin: "*I bet if we were standing up, nobody would look twice at us.*"

Thug Bríd faoi deara, freisin, nach gcuirfeadh aon duine sóinseáil airgid sa hata a fhad is a bhíodh sí féin ina suí le taobh Samuel. Is dá bharr seo go dtugadh sí síneadh láimhe maith dó nuair a bhíodh sí dá fhágáil. Agus cheannaigh sí mála beag dó chun a chuid airgid a chur i dtaisce ann. Mála beag a bhí déanta as éadach agus seamróg greanta isteach ina thaobh.

"*I'll keep the notes in this little bag,*" a dúirt sé léi, "*and, someday, when it's full, I'm going to take you back to Ireland.*"

Cheap Bríd gur dhóigh go mba ait an feic an bheirt acu ina suí ansin chuile Aoine, ag cabaireacht agus ag gáire, ise geal agus fear na leathláimhe chomh dubh leis an ngual.

D'inis Bríd dó faoin gcaoi a raibh uirthi féin cúl a thabhairt dá doras féin fadó. Agus d'inis dó cén fáth. Go raibh a Vítneam féin aici agus gur lig a tír féin síos í. Nach raibh aon áras di féin aici anseo, ach áras le duine eicínt eile.

"*Poor Bríd,*" ar seisean, ag gáire, "*you're worse off than I am.*"

Agus sin mar a bhí ar feadh dhá bhliain déag, ar feadh shéasúir na mblianta.

Tráthnóna Aoine amháin agus Bríd ag teacht ar a cuairt, chonaic sí nach raibh Samuel ina shuíochán. Bhí sí an-bhuartha. Cheap sí ar dtús go mb'fhéidir go raibh sé tuirseach di agus gur aistrigh sé go hionad eile. Ach cheap sí narbh in é an sórt duine a bhí i Samuel. Dá mbeadh rud le rá aige, déarfadh sé amach é. B'fhéidir gur bhuail tinneas é? Ach má bhuail, an ngabhfadh sé chuig ospidéal, ná fiú chuig dochtúir?

D'fhan sí seachtain fhada eile ach ní raibh tásc ná tuairisc air. Ansin thosaigh sí ag tóraíocht. Chuir sí ceist ar na hoibrithe sa leabharlann, ach cé gur dhúirt siad go raibh cleachtadh acu air é a fheiceáil, sin a raibh d'eolas acu. Chuartaigh sí ionaid eile ina mbíodh a chomhghleacaithe ag lorg déirce ach ní raibh a fhios ag go leor acu cén t-ainm a bhí ar an gcéad duine eile. Faoi dheireadh tháinig sí ar fhear a raibh a fhios aige cá raibh Samuel ag fanacht san oíche. Nuair a chuaigh sí chomh fada leis an áras, dúradh léi go bhfuair Samuel bás agus go raibh sé curtha le coicís. Dúradh léi, chomh maith, go raibh costaisí a shochraide íoctha ag Samuel. Sula bhfuair sé bás, thug sé máilín beag ar láimh dóibh a bhí lán le hairgead tirim, máilín a raibh seamróg greanta ina thaobh.

D'airigh Bríd mar a bheadh píosa dá colainn goidte uaithi agus mar a bheadh an saol théis feall a dhéanamh uirthi, arís eile.

Stop Bríd den tsiúlóid taobh amuigh den bhialann, an Metro Marche ar Eighth Avenue. Ba mhinic léi stopadh ag an mbialann chéanna. Ní le rún a dhul isteach ann a stopadh sí. Thugadh sí faoi deara gur cúplaí ba mhó a bhíodh istigh. Ba mhinic a bhí fonn uirthi bualadh isteach ach ba iad na cúplaí a bhíodh ag cur as di. Bhíodh sise i gcónaí ina haonar agus bhraith sí dá dtéadh sí isteach go mbeadh sí ar nós éan corr: ina suí ag bord léi féin agus cúplaí go compordach gealgháireach thart uirthi. An fáth ba mhó go stopadh sí ná go raibh an bhialann an-tarraingteach. Bhí sé ag breathnú chomh te, chomh teolaí is go mb'fhearr le duine taobh istigh ag breathnú amach ná taobh amuigh ag breathnú isteach. Ach sin mar a bhí ag Bríd. Bhíodh sí ina haonar go minic.

"*Hello, Bríd.*"

Chas Bríd thart go tobann agus bhreathnaigh ar an té a dúirt a hainm. Thóg sé tamall beag uirthi ainm a chur leis an éadan.

"Ná habair liom nach n-aithníonn tú mé?" a deir an bhean eile.

"Agnes?" arsa Bríd.

Rug an bheirt bhan barróg ar a chéile go grámhar.

"Níor athraigh tú, a Bhríd, théis chomh fada is atá sé ó chonaic muid a chéile," arsa Agnes.

"M'anam gur tú féin atá scinnte, feictear dom. Is léir go bhfuil an saol, agus an aimsir, ar do thaobh," arsa Bríd.

"An cuimhin leat an uair dheireanach a chas muid le chéile?" a d'fhiafraigh Agnes.

"Bhfuil a fhios agat nach cuimhin liom an uair, a Agnes. Ach is cuimhin liom an áit. Ag an John Lennon Memorial i Central Park."

"Cúig bliana ó shin," arsa Agnes, "ó chonaic muid a chéile. Mí Iúil, dhá mhíle agus a trí. Nach gceapfá go gcasfaí ar a chéile níos minicí muid."

"An mbeadh fonn ort a dhul isteach anseo?" arsa Bríd, ag sméideadh a cinn. "Beidh sé níos compordaí ná a bheith inár seasamh anseo."

"Buailfidh muid isteach. Beidh deis cainte againn," a deir an bhean eile.

Cé nach raibh aon dúil i mbia ag Bríd, bhí an deis aici, ar deireadh, a dhul isteach sa Metro Marche.

Isteach leis an mbeirt bhan. Ní raibh cos taobh istigh acu nuair a bhí freastalaí lena dtaobh, dá dtreorú chuig bord. Leagadh biachlár rompu chomh sciobtha céanna.

Lig Bríd siar sa gcathaoir í féin, ag baint

taithneamh as an timpeallacht. B'fhiú a bheith istigh. Áit ghalánta, chompordach, le maisiú breá ar na ballaí agus ar an urlár, freastalaithe ag fuadráil, iad maisithe chomh galánta leis an áit. Bhí sí anois ag breathnú amach ar dhaoine eile ag breathnú isteach.

"Ar thug tú aon chuairt abhaile, a Bhríd?"

"Níor thug, agus drochsheans anois go dtabharfaidh. Tá mé róshean le dhul in aon áit."

"Níl ann ach sé huaire an chloig taistil," arsa Agnes.

"Bhfuil a fhios agat go bhfuil mé ag fáil an-dearmadach, a Agnes. Scaití ní cuimhin liom an lá inné."

"Nach bhfuil leath na tíre mar sin, a Bhríd. Agus daoine i bhfad níos óige ná muide."

"Tuigim é sin go maith. Agus bhí mé ag déanamh banaltracht ar chuid acu. Ach tá a fhios agam féin go rímhaith go bhfuil galar ag spochadh asam le tamall."

Bhí Agnes aon bhliain déag ní b'óige ná Bríd. Chaith an bheirt blianta ag obair le chéile san ospidéal i Washington Heights. Ba í Agnes an cailín beag seacht mbliana d'aois a bhí ar an mbád céanna le Bríd agus iad ag teacht go Meiriceá. Níor inis Bríd ariamh d'Agnes cén fáth nach dtugadh sí aon chuairt abhaile. Ó d'éirigh Bríd as an obair níor casadh ar a chéile an-mhinic iad.

"Chuaigh mé amú orm féin cúpla lá ó shin, a Agnes. Tá an-imní orm. Bhí leath Manhattan siúlta agam agus gan a fhios agam cá raibh mé."

Bhí trua ag Agnes dá seanchara.

Ag an nóiméad sin tháinig an freastalaí chucu agus thugadar a gcuid orduithe dó.

"Tá mé ag dul go hÉirinn faoi cheann trí seachtaine," arsa Agnes. "Ní raibh mé in Éirinn le cúig bliana cheana: an bhliain chéanna a casadh ar a chéile i Central Park muid. Agus an t-am sin féin ba i gContae an Chláir a bhí mé, ag muintir Frank. Beidh mé sách gar do do bhaile féin an uair seo."

Níor dhúirt Bríd tada. Ní raibh a fhios aici céard a déarfadh sí. Labhair an bhean eile aríst:

"Tá a fhios agam go bhfuil sé seo pléite cheana againn ach, ó thárla ag dul abhaile mé, cén fáth nach dtagann tú liom? Nó an féidir liom inseacht do do ghaolta sa mbaile go bhfuil tú anseo?"

"B'fhearr liom gan inseacht, a Agnes. Tá mé rófhada imithe as an mbaile sin. Níl ansin anois ach clann, agus clann clainne, an dreama a raibh aithne agamsa orthu. Níl a fhios ag aon duine go bhfuil mo leithéid ann chor ar bith. Fágfaidh mé mar sin é."

Tháinig an bia agus bhuail an bheirt orthu ag ithe. Bhí an bia róchoimhthíoch don bheirt bhan agus ba bheag sásamh a bhí ina ngreim acu.

Bhí Bríd ag cuimhneamh uirthi féin agus ar an rud a dúirt Agnes.

Nach mór an feall nach bhfuil an misneach agam, mar sin féin. Nár bhreá an rud an tseanáit a fheiceáil sula bhfaighidh mé bás. Nárbh aoibhinn an rud mo ghaolta a bheith thart orm agus mé ag fágáil an tsaoil seo, a smaoinigh sí.

"An mbeidh tú i bhfad sa mbaile, a Agnes?"

"Coicís," arsa Agnes. "Níl morán de mo chomhaois -sa beo sa mbaile ach an oiread, má tá aon duine. Agus ní maith liom a bheith imithe rófhada ó na gasúir, go mór mór na gasúir óga. Is mór an spórt iad."

"Tá an t-ál ag méadú i gcónaí, an bhfuil?"

"Tá dhá dhuine dhéag anois ann. Caithim go leor ama i New Jersey leo. Is ann atá mo gharchlann uilig ina gcónaí. Níl sé i bhfad ó rugadh duine eile. Tá mé i mo shin-seanmháthair anois. Is iontach an rud do dhuine gasúir bheaga a bheith thart."

Bhí aiféala an domhain ar Agnes faoin abairt deiridh ach bhí sí amuigh sular chuimhnigh sí uirthi féin. Thug sí sracfhéachaint ar Bhríd. Bhí Bríd ag breathnú ar an bhfuinneog mhór a mbíodh sí ina seasamh taobh amuigh de go hiondúil ag breathnú isteach. Agus an dinnéar coimhthíoch caite, cheap sí anois nach mbeadh aon suim aici a theacht isteach arís. Dá fheabhas í an bhialann, bhí blas ní b'fhearr ar an tsamhlaíocht ná a bhí ar an dáiríreacht.

D'éirigh an bheirt agus d'íocadar an bille ar an mbealach amach. Bhí an dorchadas ag titim.

"An bhfuil tú ag aireachtáil maith go leor anois, a Bhríd?" arsa Agnes.

"Tá mé togha anois, ach scaití tarlaíonn rudaí nach mbíonn aon smacht agam orthu."

"Tabhair dom d'uimhir ghutháin. Glaofaidh mé ort nuair a thiocfas mé ar ais as Éirinn. Buailfidh muid le chéile níos minicí. Tá a fhios agam go raibh d'uimhir agam in áit eicínt ach níl a fhios agam cá bhfuil sí anois."

Thug Bríd an uimhir di. De bhrí nach raibh siad ag dul an treo chéanna, d'fhágadar slán ag a chéile taobh amuigh den doras.

Cúig nó sé de choiscéimeanna a bhí tugtha ag Agnes nuair a chuala sí Bríd ag glaoch ar ais uirthi. Chas sí ar a cois agus ar ais chuig Bríd.

"Abair leo mar sin é, a Agnes. Abair leo go bhfuil mé anseo. Cén neart a bhí acu sin air," arsa Bríd go ciúin. Cheapfá go raibh faitíos uirthi go gcloisfidís in Éirinn í.

"Ba bhreá liom é," arsa an bhean eile. "Nach mór an feall nach dtagann tú abhaile liomsa."

"Ní fhéadfainn. Ach feicfidh muid céard a tharlós," arsa Bríd.

"An bhfuil tú i 42nd Street i gcónaí?"

"Táim," arsa Bríd, ag crochadh láimhe ar an mbean eile.

I suíochán 33A a bhí Bríd ina suí ar an eitleán. Bhí sí sásta go raibh sí gar don fhuinneog. Tríd an bhfuinneog seo a gheobhadh sí a céad radharc ar a tír dhúchais, tír nár thaobhaigh sí ó d'fhág sí seachtó sé bliain roimhe sin.

Bhí moill de dhá scór nóiméad nó mar sin ar Aer Lingus, cé nárbh é Aer Lingus a bhí ciontach. Scuaine eitleán eile a bhí ag imeacht roimhe: Delta, British Airlines, U. S. Airways. Faoi dheireadh bhíodar imithe as radharc agus bhí Bríd agus a comh-thaistealaithe ar an rúidbealach.

Bhí a hintinn lán le ceisteanna. Thar maoil le ceisteanna. Ach níorbh iad a cuid ceisteanna féin iad ach na ceisteanna a chuirfí uirthi ag ceann scríbe.

Ag breathnú síos ar shoilse Nua-Eabhraic, ní raibh a fhios aici an raibh cumha uirthi nó nach raibh. Bhí an chathair ar chaith sí formhór a saoil inti ag imeacht as a hamharc de réir a chéile. Bheadh sé nádúrtha go mbeadh caitheamh aici i ndiaidh na cathrach ach bhí an tnúth lena tír féin níos láidre ina hintinn. Ba é mian a croí ar feadh a saoil a bheith in Éirinn ach níorbh fhéidir casadh ón gcinniúint. Dá mbeadh a rogha aici féin ní fhágfadh sí a tír dhúchais ach, faraor, ní mar sin a bhí.

D'éirigh an t-eitleán nó go raibh sé os cionn na gclabhtaí. Ar feadh cúpla nóiméad bhí briseadh beag sna clabhtaí agus chonaic sí soilse Nua-Eabhraic anois mar loscadh sléibhe. D'ardaigh an t-eitleán agus ní raibh le feiceáil ach mar a bheadh olann caorach scartha amach, ag tabhairt foscaidh don chathair ón domhan mór taobh amuigh.

Thóg sí amach bosca beag stáin as a mála láimhe. Bosca beag a raibh dath an óir air. Bhreathnaigh sí go grinn ar an mbosca ar feadh nóiméid, ansin chuir ar ais sa mála é.

An clog! Ar thug mé liom an clog? ar sí léi féin. Bhí sé ar an matal. Tá mé cinnte gur chuir mé isteach sa gcása gorm é. Nó ar chuir? Chuir. Ba é an rud deireanach é a chuaigh sa gcása.

D'airigh sí mar a bheadh a hinchinn ag ardú ina blaosc. Mar a bheadh sí ag iarraidh briseadh amach trí mhullach a cinn. Dhún sí a súile agus lig a ceann siar ar chúl an tsuíocháin. D'oscail sí arís iad nuair a chorraigh an fear a bhí ina chodladh sa suíochán lena taobh. Bhreathnaigh sí go leataobh air. Fear óigeanta.

Cheap sí gur aithin sí é. Chonaic sí cheana é, in áit eicínt. Ní raibh sí cinnte cén áit. An raibh sé ag obair i St Vincent's? B'fhéidir gur i Texas a casadh uirthi é, ar cheann dá cuairteanna? Nó an tigh Viktor a chonaic sí é? Bhí a hintinn ag dul in aimhréidh uirthi. B'fhéidir nach bhfaca sí ariamh cheana é.

"*Would you like beef or chicken for dinner?*" Banóstach a bhí ag dul thart ag tógáil orduithe.

"*I'll try the beef,*" arsa Bríd, cé nach raibh aon dúil aici i dtada.

"*What about your friend here?*" Bhí an cailín ag breathnú ar an bhfear a bhí sa suíochán ina chodladh. Bhreathnaigh Bríd ar an bhfear ach níor labhair sí. "*Perhaps I will leave him for another while. If he wakes, tell him about the dinner, will you?*" Chlaon Bríd a ceann.

Ag breathnú thart di thug sí faoi deara go raibh cuma leadránach ar aghaidh chuile dhuine. Chomh leadránach leis an torann a bhí ag inneall an eitleáin. B'fhéidir go raibh an leadrán sin tógálach?

Chonaic sí bean chun tosaigh ag fanacht le dhul isteach sa leithreas. Bhí buachaill óg ina gabháil aici. Nuair a thug an buachaill faoi deara go raibh Bríd ag breathnú ina threo, tháinig meangadh mór gáire ar a aghaidh. Chuir sé aoibhneas ar Bhríd nuair a chonaic sí an gáire sin. Cheap sí gur leath an gáire amach ar fud an chomhluadair agus go raibh chuile dhuine gealgháireach anois. Tháinig duine amach as an leithreas agus chuaigh an bhean agus an gasúr isteach. D'imigh an gáire leo.

"*Here you go, Ma'am.*" Tharraing Bríd amach an

tráidire ón suíochán ar a haghaidh agus leag an bhanóstach an dinnéar air. Bosca stáin, milseog agus cupán plaisteach le uisce ann. Bhí ruainne beag cáise agus briosca i mbosca eile. Bhain Bríd an barr de bhosca an dinnéir.

"*What about you, Sir?*" Bhí an fear le taobh Bhríde tar éis dúiseacht.

"*That smells good. I'll have the same,*" ar seisean.

D'imigh an bhanóstach léi.

"Chodail tú go maith, a Pheadair?" a d'fhiafraigh Bríd.

"Tá mise ag imeacht ar am na hÉireann fós," a deir Peadar léi. "Dá mbeinn sa mbaile anois bheinn ag slogadh na ngrást." Chonaic sé a aint Bríd ag piocadh ar an dinnéar mar a bheadh éan ann. Ní raibh sí ag ithe mórán de.

"Ní bheidh sé i bhfad anois go mbeidh tú ar ais i do leaba féin," arsa sí leis.

Ní raibh ach dhá lá agus dhá oíche i Méiriceá aige.

"Is fear maith thú, a Pheadair, cúnamh a thabhairt dom aistriú go hÉirinn."

"Ó, muise, a Bhríd, cén fáth nach dtabharfainn? Sé seachtaine ó shin ní raibh a fhios againn a raibh do leithéid ar dhroim an domhain."

"Tá súil agam nach mbeidh aifeála ort, a Pheadair. Tá faitíos orm nach mbeidh ionam ach dris chosáin."

Leag sé a lámh ar a láimh ise.

"Déan dearmad air sin anois, a Bhríd. Beidh na múrtha fáilte romhat. Fan go bhfeicfidh Ciarán agus Brídeog thú." Nuair a chuala Bríd an t-ainm Brídeog aríst, chuir sé gliondar ar a croí. D'inis Peadar di cheana an t-údar gur thug sé féin agus Mairéad an t-ainm ar a n-iníon.

Cé go raibh a saol caite i Meiriceá aici agus í ag ceapadh go raibh dearmad déanta go raibh a leithéid ann, líon sí le grá don bhaile mar go raibh duine eicínt a raibh suim aige inti agus ina hainm.

Tháinig dinnéar Pheadair agus stop an chaint ar feadh tamaill. Ag méirínteacht a bhí Bríd. Ba mhó an aird a bhí aici ar na boscaí agus na clúdaigh ná ar an mbia a bhí istigh iontu. Thug sí faoi deara go mb'as Éirinn a tháinig an t-im, cáis as an Iodáil agus go dtáinig an braon uisce as Minnesota.

Nach iontach an bailiú a rinne siad le dinnéar a chur ar fáil dúinn, arsa Bríd léi féin.

"Bhfuil a fhios agat, a Bhríd, go bhfuil tú fíorchosúil leis an mbean a bhí ag inseacht an scéil sa scannán *Titanic*," a deir Peadar.

"Tá sé ráite liom," ar sí ag gáire go magúil, "agus cé a déarfadh nach mé an bhean chéanna sin?"

"Ach, ní . . ."

"Ó, a Pheadair, níl mé ach ag magadh fút!" Dá ndéarfadh sí leis go mba í a bhí ag aisteoireacht sa scannán sin, chreidfeadh sé í. Ba í a cré í: an déanamh céanna, an ghruaig, an t-iompar, fiú an aois!

Bhí sé ag breathnú uirthi agus í ag ligean uirthi féin go raibh suim sa mbia aici. Chuimhnigh sé ar rudaí a bhí léite aige sular fhág sé Éire: "*Alzheimer's is a physical disease affecting the brain. It is a progressive disease, which means that parts of the brain are damaged over time. The symptoms become more severe as this happens. As the disease progresses, people with Alzheimer's will need more support from those who care for them."* Le breathnú uirthi, ní chreidfeadh sé go raibh tada in easnamh. Cheapfá go raibh sí i mbarr a sláinte. Bhí cásanna cloiste aige ina raibh an galar ar dhaoine a bhí dhá scór bliain níos óige ná í. Bhí an t-ádh uirthi nár bhuail an galar í go dtí le gairid. Ach thabharfaidís aire mhaith di. Bhí Mairéad lánsásta, agus maidir leis an mbeirt óga, b'fhada leo go mbeadh sí sa mbaile acu. Mamó nua a dúirt Brídeog. Mamó nua as an bpíosa.

"Ní fhaca mé ariamh dinnéar chomh suarach." Bhrúigh Bríd uaithi an pláta plaisteach chomh fada agus ab fhéidir, cé go raibh an tráidire chomh beag is nach raibh sé i bhfad uaithi ar aon bhealach.

"An bhfuil an bheirt agaibh ag obair, a Pheadair?" a d'fhiafraigh Bríd.

"Tá muise," arsa Peadar léi, "tá feilm bheag agam, cé nach mórán feilméarachta a dhéanaim anois, ná aon duine eile thart orm. Tá comhlacht tógála agam, comhlacht beag. Ach bíonn mo sháith le déanamh agam. Tá Mairéad ag obair do chomhlacht árachais, í ag obair ón mbaile. Tá an t-ádh orainn nach bhfuil orainn a bheith ar thurais fhada chuig ár gcuid oibre, mar atá daoine eile. Obair ar bith a dhéanaimse, is áitiúil a bhíonn sí. Níl ar Mhairéad corraí as an teach ach corruair isteach chuig an bpríomhoifig i nGaillimh."

"Tá an t-ádh oraibh," arsa Bríd. "Níl Meiriceá chomh maith sin anois. Bhfuil a fhios agat, a Pheadair, nuair a chuaigh mise go Meiriceá, i naoi déag tríocha dó, go raibh Meiriceá níos measa ná an áit a d'fhág mé?"

"Chuala mé é sin ó dhaoine eile freisin, a Bhríd. Ceapadh ar dtús nach raibh ann ach a dhul go Meiriceá agus go mbeadh chuile shórt ag duine a bheadh ag teastáil uaidh."

"Cheap na mílte é, a Pheadair. Cheap na créatúir nach raibh le déanamh ach léim a thabhairt ón mbád go talamh. Tugadh Oileán an Dóchais ar Mheiriceá, chomh maith le hOileán na Saoirse. Ach thug go leor Oileán na nDeor air freisin, ar feadh na mblianta."

"Bhfuil a fhios agat, a Bhríd, gur dhúirt mo mháthair liom go dtéadh do mháthair féin, Bairbre, síos le cladach chuile thráthnóna théis duitse a dhul go Meiriceá. Ligeadh sí amach ar an gclaí í féin agus d'fhanadh sí ansin ar feadh uair an chloig nó mar sin. Í ag breathnú amach ar an bhfarraige, i dtreo Mheiriceá.

Dúirt mo mháthair go n-aithníodh sí uirthi nuair a thagadh sí ar ais go mbíodh sí ag caoineadh. Bhí sí dá dhéanamh sin ar feadh a saoil, nó go ndeachaigh sí in aois agus gur chaill sí lúth na ngéag."

"Sileadh go leor deor ar an taobh eile freisin, a Pheadair. Tá abhainn an Hudson lán leo," arsa Bríd go smaointeach.

Bhí Peadar ag breathnú ar a aint agus í ag caint. Cé go raibh sí ag breathnú ina threo, bhí sí mar a bheadh sí ag breathnú díreach tríd. Bhí a fhios aige nach raibh sí dá fheiceáil chor ar bith. Bhí a cuid smaointe i bhfad ó bhaile.

Lig sí a cloigeann siar ar an suíochán agus dhún sí a súile. Níor mhaith le Peadar cur isteach uirthi. Bhraith sé go raibh sí tuirseach de bharr na cainte uilig.

Ach ní raibh Bríd tuirseach. Ná codlatach. Cleas beag a bhíodh aici nuair a bhíodh sí ag iarraidh a bheith ag cuimhneamh, ligean uirthi go raibh sí ina codladh.

"Í ag caoineadh chuile thráthnóna . . . thíos le cladach . . . théis duitse a dhul go Meiriceá." Bhí sí in ann í a fheiceáil. A hucht ar an gclaí. Ag stánadh amach. Amach chomh fada is a bhí ann. Fios aici nach bhfeicfeadh sí a hiníon aríst. Shamhlaigh Bríd go raibh an bhail chéanna ar chroí a máthar is bhí ar a croí féin nuair a chaill sí a leanbh. Ba mar a chéile iad. Gan aon teacht ar ais. Ach is fearr súil le muir . . .

Bhí trua i gcroí Bhríde di anois. Bhí an t-olc a bhí aici dá muintir agus don eaglais mar ailse ina corp ar feadh a saoil. Thuig Samuel go maith í. Dúirt Samuel gur cineál ailse a bhí ann. Go raibh an galar céanna air féin.

Bhuail smaoineamh go tobann í. Chuir sí a lámh isteach ina mála agus thóg amach an bosca beag óir a bhí ann. Bhreathnaigh sí go cúramach air. Thug sí faoi deara go raibh an fear lena taobh ag breathnú uirthi. Chuir sí an bosca beag i bhfolach i gcúl a láimhe agus tharraing siar sa suíochán í féin. Rinne sí chomh beag í féin agus ab fhéidir léi.

Bhí a dhá láimh i ngreim sa mbosca beag anois, iad sáite thuas faoina smig aici. Bhí a fhios ag Peadar go raibh sí i staid eile ag an am sin. Bhí trua aige di. Gan neart air ach cur suas leis. Chaithfeadh sé a bheith foighdeach agus fanacht go dtiocfadh sí ar ais chuige.

"*People said America was too arrogant. That the Towers were a two-finger sign to the rest of the world.*

That was the reason they brought them down." Bhí a cuid súl dúnta agus í ag caint go híseal.

Chas Peadar a cheann agus bhreathnaigh sé uirthi. Níor labhair sé.

Den bhuíochas di féin, thit Bríd ina codladh. Bheadh sé in am codlata i Meiriceá faoi seo. Níor dhúisigh sí nó gur chuala sí glór an phíolótaigh ag ordú do na paisinéirí a mbeilt a fháisceadh. Bheadh sé ag ísliú i dtreo na Sionainne gan mhoill.

Rivals, saliva, vials, lava, teach, tacht, each, acht. Chaith Brídeog an t-am ag iarraidh an oiread focla agus ab fhéidir a dhéanamh as na comharthaí *Arrivals* agus *Teacht Isteach*. Bhí a máthair ina suí ar an suíochán ag léamh iris eicínt. Ciarán imithe ag siúl thart.

"Tá sí tagtha!" Tháinig Ciarán ar ais óna chuid spaisteoireachta agus giorradh anála air. Ba é seo an fógra a raibh an comhluadar ag fanacht leis. Bhí déidín tite acu, iad ag fanacht le breis agus uair an chloig.

"Meas tú cé leis is cosúil í?" a d'fhiafraigh Brídeog.

"Níl a fhios agam," arsa a máthair léi, "ach is gearr go mbeidh a fhios againn."

"An mbeidh muid in ann í a aithneachtáil?" arsa Ciarán.

"Nach mbeidh Deaid in éineacht léi," arsa a mháthair leis.

Théis deich nóiméad nó mar sin thosaigh na chéad phaisinéirí ag teacht amach ina scuaidríní: lánúineacha, daoine ina n-aonar, clanna. Go leor bagáiste ag chuile dhuine.

"Nach fada go bhfuil siad ag teacht amach." Bhíodar ar fad mífhoighdeach anois. An mháthair chomh dona leis an mbeirt óg. Í ag cuimhneamh siar ar an lá a tháinig Agnes chuig an teach le cur in iúl dóibh go raibh aint ag Peadar i Nua-Eabhrac, go raibh sí cúig bliana déag agus ceithre scór d'aois, agus nár thaobhaigh sí an baile ariamh ó d'imigh sí an chéad uair.

Ar ndóigh, cheap Peadar go raibh a aint Bríd básaithe le fada an lá. Ní raibh tásc ná tuairisc uirthi ón lá a d'imigh sí go Meiriceá. Bhíodh a mháthair, Máirín, ag caint uirthi go minic agus ar an gcuid eile den chomhluadar a d'imigh ar imirce. An teaghlach ar fad beagnach, cé is moite do Mháirín, agus Sara a phós fear as Loch Garman. Agus, ar ndóigh, an bheirt a cailleadh go hóg sa mbaile.

B'fhada leis an gcomhluadar go bhfeicfidís Bríd. Iad ag tnúth go mór leis na scéalta a bheadh aici as Meiriceá. Bhraith Mairéad go mbeadh sé cineál aisteach duine eile a bheith sa teach leo. Ní raibh aon chuairteoir mar seo acu ariamh cheana. Ar ndóigh, thiocfaidís ina chleachtadh. Dá mhéid dá raibh sí ag cuimhneamh air, ba amhlaidh ba mhó an bhís a bhí uirthi go mbeadh an tseanbhean leo. Bhí súil aici go socródh Bríd síos leo agus go mbeadh sí sásta leis an aistriú. Bhí cineál imní uirthi de bharr an ghalair a bhí ag cur as do Bhríd le gairid. Ach, idir iad uilig, thiocfaidís i dtír. Bhí an bheirt óg ag tnúth go mór leis an gcuairteoir, an oiread sin ama caite acu ag réiteach seomra di.

"Meas tú an bhfuil siad ar an eitleán seo chor ar bith?" Chuir Brídeog deireadh le smaointe a máthar.

Ní raibh ag teacht anois ach corrdhuine i bhfad ó chéile. Nuair a tháinig na banóstaigh amach, bhí sé ina imní ar an triúr a bhí ag fanacht go mífhoighdeach.

Faoi dheireadh thiar, chonaic siad Peadar ag siúl amach agus Bríd in éineacht leis. Bhí go leor bagáiste ar thralaí ag Peadar. Shiúil Bríd go mall lena thaobh. Í ag breathnú thart uirthi, go cumhúil, cheap Mairéad. Í ag breathnú tuirseach, a héadan tarraingthe, báiníneach.

Ó fuair siad an scéal ar dtús go raibh Bríd i Nua-Eabhrac, bhídís uilig ag iarraidh a shamhlú cén sórt mná a bheadh inti: ard, tanaí, íseal, ramhar? Gruaig dhubh, nó rua? Nó liath anois ba dhóigh.

Nuair a chonaic Mairéad a héadan den chéad uair, chuir sí aisteoir i gcuimhne di: an bhean a bhí sa scannán *Titanic*. Chonaic sí bean a raibh an chosúlacht uirthi gur chaith an saol go maith léi. Gur bean í Bríd a thug aire dá colainn agus dá deilbh. B'fhurasta a aithint uirthi.

"Seo í Bríd," an chéad bheannacht a bhí ag Peadar.

Chuir sé in aithne dá chéile iad. Rug siad barróg ar Bhríd, ina nduine is ina nduine.

"Fáilte abhaile," arsa Mairéad.

"Níor cheap mé go gcloisfinn na focla sin go brách," arsa an tseanbhean. Bhí an chuma ar a haghaidh go raibh sí an-sásta léi féin.

Chuir sé iontas ar Chiarán chomh láidir is a bhí an bharróg a rug sí air. Bhí cineál faitís air féin go ngortódh sé í le barróg.

"Is dóigh go bhfuil tuirse ort anois, a Bhríd," arsa Mairéad léi.

"Lig mé néal as mo cheann ar an eitleán ach ní raibh móran sásaimh agam ann."

"Ní bheidh muid i bhfad. Cúpla uair an chloig agus beidh tú sa mbaile."

"Sa mbaile," arsa Bríd go sásta.

Shiúil an comhluadar amach agus anonn i dtreo an veain.

"Seo é do sheomrasa, a Bhríd," arsa Brídeog. Thug sí isteach sa seomra í. An seomra a bhí maisithe agus cóirithe don tseanbhean. Bhí Ciarán leis na sála acu agus dhá chása le Bríd ar iompar aige.

"Ó, nach álainn an seomra é seo," arsa Bríd. Shiúil sí anonn chuig an bhfuinneog agus bhreathnaigh amach. "Agus tá radharc ar an bhfarraige," ar sí go gliondrach. Ba chosúil le cailín óg aríst í.

"Ar mhaith leat cúnamh leo seo, a Bhríd? arsa Ciarán, ag leagan na gcásaí ar an urlár.

"Mura miste libh," arsa an tseanbhean.

"A Bhríd," arsa Brídeog.

"*Yes, dear?*"

"Ar mhiste leat dá dtabharfadh muid Mamó ort?"

Bhreathnaigh an tseanbhean le hiontas ar an mbeirt óga. Bhí a héadan lasta le lúcháir.

"*Oh God, that would be so lovely. I would be delighted*," arsa Bríd agus na deora ag titim síos clár a héadain le háthas. D'oscail sí amach a dhá láimh agus shiúil an bheirt óga ina treo. D'fháisc sí an bheirt in éineacht. "Sin é an rud is deise dár dhúirt aon duine ariamh liom."

Mamó! Mamó! ar sí go smaointeach. Mamó! Mamó!

Phóg sí go grámhar iad. Ag an nóiméad sin mhothaigh Bríd go raibh sí sa mbaile. Níor cheap sí ariamh go n-aireodh sí mar seo. "Mamó!" ar sí ag scaoileadh leis an mbeirt.

D'oscail Ciarán na cásaí agus thosaigh Bríd agus an bheirt óg ag tógáil éadaigh amach astu. Bhí roinnt pictiúirí, leabhra agus áilleagáin bheaga eile sna cásaí chomh maith. Thóg Bríd clog amach as ceann acu, chuir lena cluais é agus leag ar an mbord beag é a bhí le taobh na leapan. Chuir sí a bhéal faoi.

"Cá bhfuil mo mhála?" ar sí, mar a bheadh imní uirthi.

"Anseo, a Mhamó," arsa Ciarán, ag síneadh an mhála láimhe chuici.

Thóg sí amach an bosca beag stáin, a raibh dath an óir air, agus shac isteach faoi philiúr ar an leaba é.

Thug an bheirt óg cúnamh di a cuid éadaigh a chur ina n-áit féin.

"A Mhamó?" arsa Ciarán.

"*Yes, dear?*"

"Cén bealach ar choinnigh tú do ghreim ar an nGaeilge agus tú chomh fada sin i Meiriceá?"

Shuigh Bríd síos ar an leaba.

"Ag caint liom féin den chuid is mó," arsa Bríd ag gáire.

"Bhíodh ranganna Gaeilge agam i Nua-Eabhrac ar feadh blianta. Chuidigh sé sin go mór liom an teanga a chleachtadh. Agus, ar ndóigh, nuair a tháinig an t-idirlíon ar an saol, bhí mé ar mhuin na muice."

"Bhí ríomhaire agat, mar sin?" arsa Ciarán, iontas air.

"Bhí, a stór. Nuair a tháinig na chéad ríomhairí amach, fuair mé ceann. Bhí sé an-áisiúil mar bhí mé in ann ceachtanna a chur ar fáil do na ranganna Gaeilge uilig a bhí i Nua-Eabhrac. Agus cheannaigh mé leabhra Gaeilge tríd an idirlíon. Bhí mé ag fáil an raidió air freisin. Ní raibh tada ag tarlú i ngan fhios dom."

"Bhfuil a fhios agaibh go dtugainn cuairt ar an gceantar seo ar Google Earth. Ach stopadh an diabhal cúpla míle soir an bóthar as seo. Níor éirigh liom ariamh mo bhaile féin a fheiceáil. Bhí sé ar mo chumas a dhul i chuile áit air ach an áit ba mhó a bhí uaim."

Cheap Brídeog go raibh cuma thuirseach ar Mhamó agus dúirt sí léi go bhfágfadh siad í go fóill. Dá mbeadh Bríd i Meiriceá anois, ní bheadh sí ina suí fós.

Mamó, arsa Bríd arís, léi féin, agus an bheirt ag imeacht as an seomra. Mamó!

"Cé a chreidfeadh go mbeadh eolas aici ar an idirlíon," arsa Ciarán le Brídeog, iad ar ais sa seomra suite.

"Nach mór an feall nach raibh a fhios againn go

raibh Bríd i Nua-Eabhrac ar feadh na mblianta. D'fhéadfadh muid a bheith ag caint léi chuile lá," arsa a dheirfiúr.

"Meas tú céard atá sa mbosca beag óir atá aici?" a d'fhiafraigh Ciarán. "D'fhéadfadh rud maith a bheith sa mbosca sin."

"B'fhéidir gur paidrín é," arsa Brídeog.

"Anois a chuimhním air. Bhí a fhios agam go raibh sí cosúil le duine eicínt," arsa Ciarán.

"Cé leis?"

"An tseanbhean i *Titanic*," arsa sé.

"Más é an scannán atá i gceist agat, tá sí cosúil léi ceart go leor," a dúirt a dheirfiúr leis.

"Níl aon chosúlacht uirthi go bhfuil Alzheimer's uirthi," arsa Brídeog. "Tá sí ag breathnú i mbarr a sláinte, théis chomh sean is atá sí."

"Nach deas an rud mamó a bheith againn, nuair nach raibh aon aithne againn ar aon mhamó eile," arsa Ciarán.

"Caithfidh muid fiafraí di faoi *Nine Eleven*," arsa Brídeog, "agus cén áit a raibh sí ag an am."

Maidin an lae arna mháireach a bhí ann. Bríd ag breathnú chomh giodamach le mionnán gabhair. Bhí a cóta uirthi aici, hata beag ar a ceann agus cochall thart ar a muinéal. A cuid gruaige cóirithe go galánta, mar a bheadh sí ag dul ag spaisteoireacht ar Times Square.

"*Symptoms may vary. Common signs of early*

stage of Alzheimer's: forgetting things – names, dates, places, faces . . ."

Cheap Mairéad agus Peadar gur as a meabhair a bhí sí: gur cheap sí gur i Nua-Eabhrac a bhí sí agus í réitithe le dhul amach. Ach ní ar Broadway a bhí a haird, ná a haghaidh.

"As ucht Dé ort, a Pheadair, agus tabhair chomh fada leis an seanteach mé. Is fada liom go bhfeicfidh mé aríst é. Tá trí mhíle míle curtha díom agam, ní mharóidh cúpla coiscéim eile mé."

Lig Peadar osna faoisimh. Dá mbeadh sí ag iarraidh a dhul go Fifth Avenue, céard a dhéanfadh sé?

"An bhfuil tú cinnte go bhfuil tú in ann siúl síos? Beidh cathaoir rotha agat amáireach nó arú amáireach," arsa Peadar.

"Siúlfaidh mé," ar sí. "Dá mba ar mo bholg a ghabhfainn ann anois, dhéanfainn é, níos túisce ná a d'fhanfainn lá eile."

"Ceart go leor, mar sin. Bíodh a fhios agat nach teach é níos mó ach seid, cé nach ndearna mé aon athrú suntasach air."

Chuir sí a lámh in ascaill Pheadair nuair a bhíodar taobh amuigh den doras. Shiúladar go mall síos an bóthar i dtreo na seide. Ní raibh le dhul acu ach cúpla céad slat.

"Tá sé ag dul deacair liom a chreidiúint fós go bhfuil mé ar ais san áit ar rugadh mé. Níor chuimhnigh mé ariamh go bhfeicfinn an áit seo aríst. Is cuma cá bhfuil duine, ná cé chomh fada ó bhaile, ná cén fhad imithe, tá an croí i gcónaí san áit ar rugadh agus ar tógadh thú."

"*DNA* a thugtar air sin anois," arsa Peadar, ag gáire.

Nuair a tháinig siad chomh fada leis an doras, d'oscail Peadar é agus sheas go leataobh. Shiúil Bríd isteach go mall. Bhí Peadar ar tí í a leanacht ach stop sé. Bhraith sé go raibh tábhacht thar cuimse ag baint leis an gcuairt seo ag an tseanbhean ar an áit ar rugadh í agus an áit ar chaith sí a hóige. Bhraith sé gur oilithreacht a bhí ann di, a bhí chomh spioradálta le haon oilithreacht chuig láthair bheannaithe in aon áit ar fud na cruinne. Théis an tsaoil, bhí sé tuillte aici go mbeadh an turas seo príobháideach. Cá bhfios nach raibh a muintir istigh sa gcisteanach anois, mar a bhídís agus í ina déagóir. Agus cá bhfios nárbh é sin an t-údar a bhí aici a theacht abhaile.

Sheas Bríd i lár urlár na cisteanaí, í ag breathnú i dtreo an teallaigh. An t-iarta ansin, mar a bhí, agus le súil a hintinne, bhíodar uilig thart ar an tine: a hathair, a máthair, Colm, Aindriú, Máirín, Sara, Áine agus Antoine. Micheál agus Ciarán sa seomra beag. Sea, ní raibh Micheal ná Ciarán ag an tine. Bhí siad sa seomra beag, Ciarán ina chodladh.

Shiúil sí anonn chuig an doras, d'oscail é, agus dhún ina diaidh. Chonaic sí an cliabhán leis an mballa agus an páiste óg ina luí go socair. Páistín sásta é Ciarán. Sé Ciarán is sásta ar fad, deir a máthair. Ón lá a rugadh é, ní raibh trioblóid dá laghad le Ciarán. Chuir Bríd a lámh ar a bolg agus chuimil go cineálta é. An lámh ag dul thart timpeall i gciorcal, deiseal agus tuathal.

"A Mhichíl," ar sí, i gcogar. "Cá bhfuil tú, a

Mhichíl?" Bhreathnaigh sí thart ar an seomra. "A Mhichíl?" ar sí arís. Ní bhfuair sí aon fhreagra. "A Mhichíl!" a bhéic sí in ard a gutha. "A Mhichíl!"

Chuala Peadar an glaoch agus isteach leis de sciotán.

"A Bhríd? Céard atá ort, a Bhríd?" Bhí an chisteanach folamh ach chonaic sé an doras thall dúnta. Anonn leis agus d'oscail é.

Chonaic sé Bríd ina seasamh taobh istigh, a dhá láimh fáiscthe in aghaidh a boilg aici agus cuma an uafáis ar a haghaidh. Mar a bheadh sí théis taibhse a fheiceáil, nó níos measa.

"Tá sé ceart go leor, a Bhríd." Rug Peadar ar a láimh agus chuimil go cineálta. Threoraigh sé go mall anuas chuig an doras í gan tada a rá. Bhí a colainn ar crith.

"Ach níl Micheál sa seomra. Níl Micheál sa seomra."

Níor labhair Peadar go raibh siad sa gcisteanach.

"Tá a fhios agam go bhfuil sé ag dul i gceann go mór ort, a Bhríd. Tá sé sin nádúrtha. Nach ann a rugadh is a tógadh thú." Chuir sé a dhá láimh thart ar a aint agus d'fháisc lena ucht í. Bhí aiféala air nár tháinig sé isteach léi i dtosach. B'fhéidir nach mbeadh sí chomh corraithe.

Nuair a lig Peadar léi bhreathnaigh sí san éadan air. Bhí a súile folamh, a héadan cruinnithe ina mheall. Ba léir do Pheadar nach raibh a fhios aici cá raibh sí.

"Snasán," ar sí. "Snasán bróg. Agus túis. Tá an boladh ar fud an tí. Sin a d'fhag sé ina dhiaidh nuair a d'imigh sé. Snasán bróg agus túis. Tháinig sé mar scáile agus d'imigh sé mar scáile. Níl a fhios ag m'athair an raibh sé anseo chor ar bith. Níor inis Mama dó é agus ní inseoidh Micheál dó é. Maróidh Deaide Micheál má deireann sé a leithéid de rud."

Chuir Peadar lámh a ainte faoina ascaill agus thosaigh ag siúl amach an doras. Ní raibh fonn ar Bhríd corraí, ach théis tamaill bhig, thoiligh sí a dhul leis. Bhí barúil aige go mba é a dearthái Micheál a bhí sí a thóraíocht sa tseid ach ní ligfeadh a chroí dó inseacht di gur cailleadh Micheál in aois a dheich mbliana, dhá bhliain théis di féin imeacht go Meiriceá. Chaithfeadh sé an scéal sin a inseacht di, ach ní inniu.

"A person may believe things are real when they are not. May also experience restlessness and agitation."

Threoraigh sé ar ais chuig an teach í. Níor labhair sí ar feadh an achair.

Nuair a chonaic Mairéad ag teacht isteach iad, bhí a fhios aici ar an bpointe go raibh Bríd trína chéile. Chuir sí a lámh thart ar an tseanbhean agus thug siar sa seomra í. Bhain di an cóta agus an hata, chuir sí ina luí ar an leaba í mar a bhí sí agus chuir cuilt éadrom os a cionn. Ghéill an tseanbhean mar a bheadh páiste ann. Dhún Mairéad an doras go ciúin ina diaidh.

"Bhí sí trína chéile thíos sa seanteach," arsa Peadar le Mairéad, "ach bhí an oiread sin foinn uirthi cuairt a thabhairt air nár fhéad mé í a eiteach."

"Meas tú an bhféadfá gar a dhéanamh dom, a Pheadair? Níl mé ag iarraidh aon trioblóid a chur ort ach . . ."

Bhí sí seachtain sa mbaile. Í staidéarach go maith i rith an achair sin, cé is moite den seachrán intinne anois is aríst. Bhí cathaoir rotha curtha ar fáil di ach dhiúltaigh sí suí inti a fhad is a bheadh sí in ann siúl léi féin.

"Rud ar bith atá uait, a Bhríd, ná bíodh náire ort é a iarraidh."

"Ba mhaith liom eolas a fháil ar aon bhás a tharla sa bparóiste seo i naoi déag tríocha dó. B'fhéidir go mbeadh ar do chumas an t-eolas a fháil ar an ríomhaire? Is dóigh go bhfuil sé ar-líne acu anois?" Chuir an chaint seo iontas ar Pheadar. Ní raibh aon súil aige le hachainí mar seo. Cheap sé go raibh an chaint sách staidéarach. "Má chuireann sé as do do chuid oibre . . ." arsa Bríd.

"Ní chuirfidh, ná baol air," ar sé. Bhí a intinn déanta suas aige. Rud ar bith a bheadh uaithi, dhéanfadh sé é, fiú dá mbeadh a fhios aige nach raibh sí staidéarach ag an am.

"Tá suíomh ar an idirlíon. Níl mé cinnte an bhfuil sé iomlán fós, ach is féidir liom é a chuartú."

Níor fhan sé le torann a chos. Bhí sí théis a chuid fiosrachta féin a dhúiseacht. Bhí an ríomhaire ar siúl, mar a bhíodh i gcónaí anois ó mhaidin go faoithin. Chliceáil sé ar an suíomh, agus i gceann cúpla soicind, bhí sé os a chomhair amach: *Breith, Bás, Pósadh*. Chliceáil sé ar *Bás*, ach nuair a rinne sé iarracht an táille cuí a íoc leis an gcárta, níor éirigh leis é sin a dhéanamh. Rinne sé iarracht eile ach ba é an scéal céanna é. Bhí fabht in áit eicínt. Thug Peadar suas a chás agus dhún an suíomh.

Chonaic sé an dóchas in éadan Bhríde nuair a tháinig sé ar ais sa seomra suite.

"Níor éirigh liom, a Bhríd. Tá diomar ar mo chárta, nó tá fadhb leis an suíomh."

Chas an dóchas go díomá ar a héadan chomh scioptha leis an leathanbhanda ar an ríomhaire nóiméad roimhe sin.

"Ná bí buartha, a Bhríd. Gabhfaidh mé go Gaillimh chomh luath in Éirinn agus is féidir liom coinne a dhéanamh leo."

"B'fhéidir go mb'fhearr gan bacadh leis chor ar bith, a Pheadair. Tá an iomarca trioblóide ann."

"Bhfuil a fhios agat, a Bhríd, go mbeidh mé i bhfad níos compordaí ag dul trí sheanleabhra in oifig ná a bheith ar an ríomhaire sin. Ní bheidh ann ach leithscéal dom a dhul ag púitseáil in obair dhuine eicínt eile."

"Má tá tú cinnte, a Pheadair. Ach céard faoi do chuid oibre? Caillfidh tú lá oibre," arsa Bríd go himníoch.

"Tiocfaidh mé slán. Tá a fhios ag na hoibrithe go maith céard atá le déanamh acu. Ní go minic a bhíonn leithscéal mar seo agam. Níl uaim ach an tsiocair."

Rinne sé maith an domhain dó nuair a chonaic sé an sonas ina héadan.

Tháinig Mairéad isteach ón gcisteanach le cupán tae do Bhríd agus cupán eile di féin.

"Tá an t-uisce fiuchta, a Pheadair," ar sí.

"Tuigim go maith thú, a bhean," arsa Peadar ag éirí. Amach leis as an seomra, agus fágadh an bheirt bhan le chéile.

Thóg Mairéad bosca amach as an bpreas a bhí i gcúinne an tseomra agus shuigh le taobh Bhríde ar an tolg.

"Tá go leor pictiúirí anseo agam, a Bhríd. Cuid acu sean go maith, cuid acu nua go maith. Tá roinnt pictiúirí ann de do mhuintir féin."

Thosaigh sí ag síneadh pictiúirí chuig Bríd agus ag inseacht di cé a bhí iontu.

"Sin é an lá a phós mé féin agus Peadar," arsa Mairéad.

"Bhí na gasúir tógtha go maith ag an am," arsa Bríd.

"Deich mbliana a bhí Brídeog agus ocht mbliana a bhí Ciarán an lá a phós muid," arsa Mairéad léi.

Tháinig Peadar ar ais agus shuigh an taobh eile de Bhríd.

"Inis thusa do Bhríd cé hiad seo, a Pheadair."

"Sin é do dhearthháir Colm, a Bhríd. D'imigh sé go Meiriceá ag naoi mbliana déag. Go Minnesota, deir siad. Bhí sé thart ar chúig bliana fichead sa bpictiúr sin. Sin ar tháinig ar ais uaidh ariamh: pictiúr amháin."

"Níor tháinig an méid sin féin uaimse," arsa a aint leis.

"D'fhág sé an bhliain i mo dhiaidh féin," arsa Bríd.

"Sin a bhfuil d'eolas againn faoi," arsa Peadar

"Níl aon phictiúr againn d'Aindriú. Lean sé Colm i gceann bliain eile. Seo í mo mháthair féin, Máirín.

Fuair sise bás ocht mbliana déag ó shin. Agus sin í Sara. Phós sí fear as Loch Garman, agus ansin a bhíodar ina gcónaí. Tá a clann sa gcontae sin. Caithfidh muid a inseacht dóibh go bhfuil tú anseo linn."

"Ba deas an rud iad a fheiceáil," arsa Bríd.

"Níl aon phictiúr againn d'Áine. Chuaigh sí go Chicago nuair a bhí sí ocht mbliana déag. Chuala muid gur phós sí ach chuala muid gur cailleadh í nuair a bhí sí seacht mbliana le cois an dá scór. Fuair Antoine bás, gan é ach sé bliana déag, agus Micheál nuair a bhí sé deich mbliana."

"Antoine bocht. *Poor* Micheál," arsa Bríd, go brónach.

"Ba é Ciarán an duine ab óige. Chuaigh sé go Sasana. Go Reading. Níor tháinig sé abhaile ariamh."

"Bhí sé ina ghabháil ag m'athair an mhaidin sin," arsa Bríd go smaointeach. "Ba é an t-aon duine nár thuig an scéal. *Ciarán was the only one with a smile on his face that morning. And the dog wagged its tail.*"

"Bhfuil a fhios agat gur dhúirt mo mháthair go minic go raibh tusa ar an mbean óg ba dathúla a tháinig amach as an taobh seo tíre," arsa Peadar. Rinne Bríd gáire beag cumhúil.

"Nach aisteach an mac an saol. Níor casadh ceachtar againn ar a chéile ariamh ina dhiaidh sin, théis a raibh againn ann. Agus cuid againn sa tír chéanna!"

"Bhí go leor teaghlach mar sin fadó, a Bhríd," arsa Peadar léi, "scaipeadar ar fud an domhain mar a bheadh scata éanacha."

"Tá mé cineál tuirseach. Caithfidh mé luí. Bhí faisean agam i Meiriceá scíth a ligean chuile lá. Dhéanadh sé maith an domhain dom." D'éirigh an tseanbhean agus thug a haghaidh ar a seomra. Chas sí ag an doras. "Tagann éanacha ar ais, a Pheadair," ar sí. "Tagann éanacha ar ais chuig an nead. Faraor, ní thagann daoine." Shiúil sí isteach sa seomra.

"Mura bhfuil mise ag dul amú, ní tuirse atá ar Bhríd bhocht," arsa Mairéad. "Tá go leor eolais faighte aici in achar gearr. Tógfaidh sé tamall ar an eolas sin a dhul tríd an ngoile."

Bhí sceitimíní ar Pheadar nuair a thaispeáin an cailín san oifig na seilfeanna leabhra dó. Bhí sé seachtain ag fanacht leis an gcoinne. Bhí socrú déanta aige an lá ar fad a chaitheamh ag dul trí na leabhra. É ar nós an ghasúir nuair a éiríonn sé maidin Lá Nollag: feiceann sé na boscaí faoin gcrann agus tosaíonn ag strachailt an pháipéir díobh go bhfeicfidh sé céard atá faoin gclúdach.

Thosaigh sé ag cuartú dátaí Bhríde ar dtús. Bás, 1932. Chonaic sé go bhfuair sé dhuine dhéag bás an bhliain sin. Rinne sé nótaí de chuile bhás: ainm, dáta, aois, gaol, an t-údar a bhí lena mbás. Nuair a bhí sin déanta aige, bhuail air ag tóraíocht a raibh de leabhra ann a bhain lena pharóiste féin. Chreid sé gur thosaigh na cuntaisí thart ar thús an chéid a bhí caite. Chuir sé áthas an domhain air nuair a chonaic sé go raibh na cuntais ag dul siar go lár an 19ú céad. Ní raibh súil ar bith aige leis seo agus bhí sé anois mar a bheadh seandálaí ag tochailt ar sheansuíomh ón díleann.

In achar gearr, bhí a intinn báite i sloinnte, dátaí agus an t-eolas a bhí ag dul le chuile bhás. Nuair a d'oscail sé leabhar, bhí sé mar a d'osclódh sé fuinneog agus é ag breathnú isteach sa saol a caitheadh: an aois a bhíodar, an áit ar cailleadh iad, an fáth ar cailleadh iad. Rinne sé dearmad ar an mbaile, ar a chlann, ar Bhríd, ar an saol taobh amuigh den seomra ina raibh sé. É gafa ag an stair a bhí os a chomhair amach. Agus ba stair a bhí ann. Chonaic sé a shinsir féin, deartháireacha Bhríde, a cailleadh go hóg, a chomharsana agus a chairde. Chonaic sé gur cailleadh na scórtha in aois na hóige. Go leor páistí, cuid nár mhair ach cúig nóiméad, deich nóiméad, fiche nóiméad. Bhí trua ina chroí aige do na gasúir sin, cuid acu nach raibh baiste fiú. Bhí cásanna ann siar sna blianta, agus ní raibh aon aitheantas tugtha do na gasúir sin ach *"illegitimate child of peasant farmer"*. Cásanna eile agus *"suffocation"* ina shiocair bháis. Chonaic sé teaghlach a chaill trí pháiste in aon tseachtain amháin. Chuir an t-eolas sin brón, agus olc, ar Pheadar. Cheap sé go raibh tuiscint níos fearr aige ar an saol a caitheadh théis píosa de lá a chaitheamh anseo. Murach gur tháinig a aint abhaile as Meiriceá, ní móide go bhfeicfeadh sé an oifig seo go brách. Bhí eolas anseo nach mbeadh ar aon ríomhaire. Bhí idir mheidhir agus duairceas sa gcarr leis ar an mbealach abhaile.

"Bhí drochlá ag Bríd inniu," an chéad rud a chuala sé ó Mhairéad nuair a shiúil sé isteach sa teach.

Bhreathnaigh Peadar thart.

"Cá bhfuil sí?" ar seisean.

"Tá sí sa seomra. Chaith an bhean bhocht an lá inniu thall i Meiriceá. Tá Brídeog istigh léi."

"Bhfuil na gasúir imithe ar scoil?"

Bhíodar ina suí ag an mbord sa gcisteanach, ceithre seachtaine théis do Bhríd a theacht abhaile. Mar ba ghnách le Bríd ar maidin, ní raibh aici ach mug tae agus giota beag tósta. D'aithin Mairéad ar an bpointe go raibh fonn cainte ar an mbean eile.

"Tá siad bailithe leo ón hocht a chlog. Tá an teach fúinn féin againn."

"Cá bhfuil Peadar?"

"Beidh sé anseo go gairid. Bhí sé sa gcith. Ó, seo anois é," arsa Mairéad.

"Ag caint fúm a bhí sibh," arsa Peadar, é ag cuimilt tuáille dá chloigeann.

"Tá mé ag iarraidh labhairt leis an mbeirt agaibh," arsa Bríd.

"Maith go leor. Abair leat," arsa Peadar.

"Ní bheinn ag iarraidh go gcloisfeadh na gasúir faoin ábhar a bhfuil mé ag dul ag labhairt air, agus tá súil agam nach mbeidh sibh anuas orm faoi labhairt ar ábhar chomh tromchúiseach." Níor chuala an bheirt Bríd ag caint chomh dáiríre ó tháinig sí isteach sa teach. Bhí sé an-soiléir dóibh go raibh sí ar a ciall go hiomlán.

"Níl mórán ábhair nach bhfuil cloiste againn, agus léite againn faoi," arsa Mairéad leis an mbean eile.

"Mar atá a fhios agaibh," arsa Bríd, "banaltra a bhí ionam den chuid is mó de mo shaol. Tá chuile chineál feicthe agam: brón, briseadh croí, uafás, bród, misneach, dínit. Chonaic mé daoine ag saothrú an bháis. *I've seen people who were sick, and it took them a whole lifetime to die! I've seen it all.*" Stop sí ar feadh cúpla soicind. Níor chuir an bheirt eile isteach uirthi. Bhreathnaigh sí síos ar an mbord agus thosaigh ag slíocadh an chlúdaigh mar a bheadh sí ag tóraíocht bioráin a bheadh tite uaithi. Níor ardaigh sí a ceann nuair a lean sí uirthi ag caint. "An t-aon rud nár chleacht mé ná saol pósta."

Cé go raibh a ceann cromtha aici i gcónaí, thug an bheirt a bhí ag breathnú faoi deara go raibh brón millteanach ina cuid cainte anois. D'airigh Mairéad snaidhm ina bolg le cion ar an mbean eile. Bhí fonn uirthi éirí agus a dhul go dtí í, ach níor mhaith léi an sruth a bhriseadh.

"Tá mé féin anois san aois a bhfuil mé, agus tá a fhios agam go bhfuil galar ag snoíochán ar m'inchinn mar a bheadh scian ar phíosa adhmaid. Tá an píosa adhmaid ag caolú de réir a chéile." Bhí a ceann faoi fós aici agus í ag slíocadh an bhoird. "Nuair atá duine i bhfoisceacht cúig bliana den chéad, is iontach an rud dúiseacht ar maidin. Dá mbeadh a fhios agamsa go mairfinn chomh fada seo, bheinn caillte fadó ariamh." Bhí an diabhlaíocht ar ais ina súile nuair a bhreathnaigh sí suas. Thug sí aghaidh a héadain ar an mbord arís. "Maidin eicínt, dúiseoidh mise agus ní bheidh a fhios agam an bhfuil mé ar an saol seo nó ar shaol eile. Ní bheidh a fhios agam an bhfuil mé beo nó an bhfuil mé marbh. Mura bhfaighidh mé bás tobann, tiocfaidh an mhaidin sin go cinnte. Sin í an mhaidin nach bhfuil mise ag iarraidh dúiseacht chor ar bith."

Stop sí den chaint ar feadh tamaill. Cheap Peadar go mba cheart dó labhairt.

"Ach, a Bhríd, tiocfaidh muid uilig chomh fada leis an maidin sin atá i gceist agat. Níl aon dul as againn, má bhíonn sé d'ádh orainn bás a fháil inár leaba féin."

"Tá mé ag impí oraibh . . . cúnamh a thabhairt dom . . . bás a fháil." Chroch sí a cloigeann nuair a labhair sí.

Rinne an achainí staic den bheirt a bhí trasna an bhoird. Théis a raibh léite acu, théis a raibh foghlamtha acu, ní raibh ceachtar acu réitithe i gcomhair na hachainí a caitheadh chucu. Bhí tic-toc an chloig mar a bheadh druma mór ann leis an gciúineas a thit go tobann sa gcisteanach. Níor chuala Mairéad ná Peadar an dordán a bhí ag an gcuisneoir cheana ariamh go dtí anois.

D'fhéach Peadar ar a bhean chéile agus d'fhéach sise air, chaon duine ag iarraidh ar an duine eile rud eicínt a rá. Ní nach ionadh, mar ní raibh an bheirt i sáinn mar seo cheana.

Ar ndóigh, rith sé leis an mbeirt gurbh é an galar ba chúis leis an achainí agus nach raibh Bríd féin freagrach as an rud a dúirt sí. Ní raibh tuairim dá laghad acu céard ba cheart a rá ach bhí a fhios acu go gcaithfí rud eicínt a rá.

Nuair a labhair Bríd arís, bhí an bheirt chomh buíoch is go raibh fonn orthu liú a ligean.

"Táim cinnte gur chuala sibh faoi *euthanasia*? Tá tíortha sa taobh seo den domhan atá sásta é a dhéanamh, agus é dleathach i gcuid acu, san Eilvéis, mar shampla. Níl mé ag súil le freagra anois, ná baol orm. Mar a dúirt mé ar dtús, tá sé tromchúiseach. Ach déantar é. Tá saol fada faighte agam. Is beag donacht a bhí ariamh orm, ach níl mé ag iarraidh a bheith i mo mheall gabáiste ag an deireadh agus trua a bheith ag daoine dom, gan trácht ar an trioblóid a bheas oraibhse."

"Chuir sé áthas an domhain orainne nuair a chuala muid ó Agnes go raibh tú i Nua-Eabhrac. Cheap muide go raibh tú caillte, curtha." Shín Mairéad a dhá láimh anonn trasna an bhoird agus rug go ceanúil ar lámha Bhríde.

"Ó, muise, níl a fhios agam cén fáth go mbeadh fonn oraibh seandiabhal mar mise a tharraingt oraibh féin. Ba cheart mise a bheith caite i dtraipisí le fada an lá. Nó meas tú an féidir athchúrsáil a dhéanamh orm? Ceapaim féin go ndéanfainn an-*handbag*."

Bhí scairteanna gáire le cloisteáil thart ar an gcisteanach. An comhluadar chomh meidhreach anois le scata gasúr a bheadh ag spraoi ar chnocán.

"Anois, nach beag atá idir an trom agus an t-éadrom," a deir Bríd.

Bhreathnaigh Mairéad agus Peadar ar a chéile.

Mo mhallacht don ghalar atá ag cangailt ar intinn mar sin, arsa Peadar leis féin.

"Anois, an féidir liom a dhul chuig mo chuid

oibre," ar sé os ard, ag éirí ón mbord, "agus ní dhéanfaidh muid dearmad ar a bhfuil ráite agat, a Bhríd."

Dá mairfeadh sé go brách, ní dhéanfadh sé dearmad ar an gcomhrá a bhí thart ar an mbord an mhaidin sin.

"Tá ormsa a dhul chuig an siopa, a Bhríd. Ar mhaith leat a theacht liom? Déanfaidh sé maith duit a dhul amach."

"Tiocfad agus fáilte," a d'fhreagair an tseanbhean.

Chonaic Mairéad go raibh an loinnir ar ais i súile Bhríde, cosúil leis an mbean sa scannán *Titanic*.

"An féidir liom tada a dhéanamh duit, a Mhamó?" arsa Brídeog.

Bhí Bríd ina suí ag an mbord beag a bhí le taobh na leapan. Bhí píosa páipéar bán ar an mbord. Bhí Bríd ag stánadh ar an bpáipéar folamh.

"*Would you have a pen, dear?*" arsa an tseanbhean.

"Ba cheart go mbeadh ceann sa tarraiceán ansin," arsa Brídeog. Theann sí leis an mbord agus tharraing amach an tarraiceán de bheagán. Bhí peann ann ceart go leor. Thóg sí an peann agus shín chuig Bríd é. Rug an tseanbhean ar an bpeann agus bhreathnaigh air ar feadh tamaill.

"*Thank you, dear*," ar sí. Chrom sí os cionn an bhoird agus thosaigh sí ag scríobadh ar an bpáipéar, nó sin a cheap Brídeog. Shuigh an cailín óg ar an leaba. Ní raibh le cloisteáil sa seomra ar feadh cúig nóiméad nó mar sin ach scríobadh an phinn ar an bpáipéar. Théis tamaill, chas Bríd thart sa gcathaoir agus labhair:

"Sin é an áit a bhfuil mo stór-sa," ar sí.

Ní raibh tuairim dá laghad ag an gcailín óg céard a bhí i gceist ag Bríd agus chuir sí ceist uirthi:

"Céard atá ann, a Mhamó?"

"Féach ar an bpáipéar. *Somewhere in that area.*"

Chuaigh Brídeog anonn go dtí an bord. Chonaic sí mar a bheadh bean ina suí ar chnocán, gruaig fhada uirthi, agus líne cham tarraingthe ón mbean go himeall an pháipéir.

"Ó, gabh mo leithscéal," arsa Bríd, "ní raibh an aill tirim. Bhí an fharraige thart uirthi. Cén chaoi a ndéanfainn dearmad ar an bhfarraige?" Tharraing sí cúpla líne eile go sciobtha ar an bpáipéar.

Ba ansin a thuig Brídeog go raibh an bhean sa bpictiúr ina suí ar chloch, aill mhór mhillteach, agus an fharraige thart timpeall uirthi.

"Bhí mé ar bharr na haille, mé ag fanacht leis an taoille. Bhí an taoille an-mhall ag teacht an tráthnóna sin. Bhí an t-uisce ag mo chuid rúitíní nuair a tháinig m'athair. Shiúil sé amach san uisce agus tharraing sé den aill mé. Thug sé isteach ar an talamh tirim mé ina ghabháil." Tháinig cuma an-smaointeach ar éadan na seanmhná. "Ba é sin an t-aon uair a raibh aon teangmháil agam le m'athair ó bhí mé i mo pháiste," ar sí i nglór íseal. Ar éigean a chuala Brídeog í. "An t-aon am a chuir sé a lámha thart orm. Ní fhaca mé an oiread oilc ariamh air. Scaoil sé uaidh ar an talamh mé. 'Dá luaithe dá mbeidh tusa imithe, a chailín, is amhlaidh is fearr dúinn uilig é,' a dúirt sé. Bhí cuthach air! 'Dá bhfeiceadh aon duine eile thuas ar an aill thú,' deir sé, 'ní bheadh muid in ann ár n-éadan a thaispeáint aríst go brách le náire.' Ach d'inis Colm dom é!"

"Céard a d'inis Colm duit, a Mhamó?" arsa an cailín óg

"Bhí mé fhéin agus Colm an-mhór le chéile. Ní raibh idir muid ach bliain. Dúradh liomsa fanacht glan ar an áit sin. Ach d'iarr mé ar Cholm a dhul síos ann agus breathnú thart. Ní raibh a fhios ag aon duine eile go raibh Colm thíos ann."

Thug Brídeog faoi deara go raibh an-strus ar éadan na seanmhná, mar a bheadh sí ag iarraidh ceist mhór eicínt a fhuascailt.

"Dúirt Colm gur ansin a bhí mo stór. Dúirt sé go bhfaca sé an lorg a fágadh ar an talamh. Isteach díreach ón aill, istigh sa ngarraí, gar don chlaí. Talamh eadrána a thug Colm air."

"Cé hé Colm, a Mhamó?" arsa Brídeog.

"*My brother*. Ní raibh idir muid ach bliain amháin. Dá mbeadh sé anseo bheadh a fhios aige é."

"Céard a bheadh a fhios aige, a Mhamó?"

"Seacht gcéad coiscéim ó Times Square atá sé. *I walked it often enough. Six hundred footsteps from Times Square to Saks*." Ní raibh Brídeog ag baint aon mheabhair as caint na seanmhná anois. Ach níor mhaith léi níos mó ceisteanna a chur uirthi. Buaileadh cnag beag ar an doras, agus sháigh Ciarán a chloigeann isteach.

"An bhfuil sé sábháilte a dhul isteach?"

Thug Brídeog comhartha dó a theacht isteach agus comhartha eile a thug le fios dó go raibh Bríd ar seachrán.

Bhí an tseanbhean fós ina suí ag an mbord beag ach í go smaointeach ag breathnú amach tríd an bhfuinneog. Ní raibh a fhios ag an mbeirt óga cé leis a bhí sí ag caint. B'fhéidir nach raibh sí ag caint le haon duine.

"*I had this trick, you see. This knack, where I could send my mind on a wing all the way home to Ireland. My mind used to spend a lot of time here. I never forgot. Imagine that. 'Imagine' – that's what's written on the John Lennon Memorial in Central Park. Right in the centre. Imagine! They used to live in the Dakota Apartments, you know. It's where he was assassinated. He died for no reason.*

"Tá mo stór ansin fós, san áit ar cuireadh í, an oíche sin. Bhí a fhios ag Colm é. Níl a fhios agam cén fáth nár mhair sí. *She died, for some reason.*

"Cheap mé gur chuala mé scread bheag ach níl mé cinnte anois. B'fhéidir go raibh an dara scread ann. Níl a fhios agam. *I don't know.* Oícheanta agus mé i mo chodladh, chloisinn an scread. Scaití agus gan mé i mo chodladh chor ar bith! Bhí mo lámh fliuch freisin. Cheap mé go ndearna mé teangmháil. Teangmháil bheag. Ní raibh mé sách teanntásach nuair a bhí mé óg." D'iompaigh sí a ceann i dtreo na beirte a bhí taobh léi. "Bígí teanntásach, a ghasúir," ar sí leo. "Is rud maith a bheith teanntásach.

"Tá mé tuirseach. *I must take a nap, just for a*

short while." D'éirigh sí den chathaoir agus theann leis an leaba.

"Feicfidh muid ar ball thú, a Mhamó," arsa Ciarán, ag siúl amach.

"Tabharfaidh mé lámh chúnta duit, a Mhamó," arsa Brídeog, ag breathnú ar a huaireadóir. Bhí sé in am codlata ag Mamó ach b'fhéidir nach raibh a fhios aici sin. Ní bheadh sé in am codlata i Meiriceá fós ar ndóigh.

"*Thank you, dear, you're very good.*"

Thug an cailín óg cúnamh don bhean eile a cuid éadaigh a bhaint di agus a cuid éadaigh oíche a chur uirthi.

Chuaigh an tseanbhean faoin bpluid, í sásta go maith léi féin, cheap Brídeog. Chuir Bríd a lámh isteach faoin bpiliúr agus thóg amach bosca beag a raibh dath an óir air. Bhreathnaigh sí air mar a bheadh sí ag cinntiú go raibh sé ann agus ansin sháigh isteach faoin bpiliúr aríst é.

Chas Brídeog síos an solas ar an lampa oíche agus d'éalaigh amach as an seomra.

"A Bhrídeog? Ciarán a bhí ag glaoch.

"Sea, a Chiaráin?"

Bhí Ciarán ina shuí ag an ríomhaire agus é ag scrúdú an scáileáin.

"Féach anseo, a Bhrídeog," ar seisean lena dheirfiúr.

D'fhéach sí ar an scáileán. Chonaic sí leathanach faoin John Lennon Memorial, pictiúr de leac ciorclach agus an focal *Imagine* greanta ina lár.

"Anois céard a déarfá?" arsa Ciarán.

“Tá muid ag foghlaim uaithi,” arsa a dheirfiúr, “agus fan go gcloisfidh tú céard a d’inis sí domsa sul má tháinig tusa isteach sa seomra.” D’inis sí dó faoin bpíosa páipéir a raibh Bríd ag scríobh air, an pictiúr garbh a tharraing sí, an méid a dúirt sí faoina deartháir Colm agus an stór a dúirt sí a bhí sa ngarraí ag an gcladach.

“Meas tú céard a d’fhéadfadh a bheith ann? Ar ndóigh, ní saibhir a bhí aon duine sa saol a bhfuil Bríd ag caint faoi,” arsa Ciarán.

“Páiste a deireann sí atá ann. Sin a thuig mise. Páiste a fuair bás agus sin é an stór atá thíos le cladach. A stór féin. De réir mar a thuigim, tá sé sa talamh, isteach ón aill go díreach.”

“Bhí páiste ag Bríd?” arsa Ciarán, iontas ina ghlór.

“Agus cén fáth a mbeadh iontas ort faoi?” arsa a dheirfiúr leis.

“Ach, tá sí chomh sean,” arsa a deartháir.

“Bhí Bríd óg tráth, bíodh a fhios agat.”

“Meas tú céard é ‘talamh eadrána’?” arsa Ciarán.

Bhí Mairéad agus Peadar ina suí ar an tolg sa seomra suite, iad ag ól cupán caifé. Bhí an teilifís ag cur de ach gan aon aird air.

“Ní mór dúinn labhairt ar an ábhar sin a bhí i gceist ag Bríd, a Pheadair.”

“*Euthanasia*?” arsa Peadar. “Níl mé ag cuimhneamh ar thada eile le seachtain. Meas tú céard a déarfas muid nuair a thiocfas an cheist arís? Mar bí cinnte go dtiocfaidh."

"Pé ar bith cén freagra a bheas againn di, ní mór dúinn a bheith ionraic. Tuilleann sí an méid sin ar a laghad. Murach an meas atá aici orainn agus go dtrustann sí muid, ní tharraingeodh sí anuas a leithéid d'ábhar," arsa Mairéad.

"Tá an ceart go hiomlán agat, a Mhairéad."

"Tá roinnt mhaith eolais ar an idirlíon faoi," arsa Mairéad. "Chaith mé píosa den lá inné ag breathnú air. Tá go leor argóintí ar a shon agus ina aghaidh. Bhí clár ar an teilifís le gairid: fear a d'iarr cúnamh ar a bhean chun bás a fháil. Thug sí chuile chúnamh dó, ach ag deireadh an lae, ba é an fear féin a rinne an gníomh deiridh. Thug na dochtúirí an deis sin dó."

"An imní atá ormsa, a Mhairéad, ná seo: má thugann muid freagra dearfach ar Bhríd, sé sin go bhfuil muid sásta cúnamh a thabhairt di bás a fháil, an bhfágann sin gur daoine maithe muid, nó drochdhaoine?"

"I súile Bhríde nó inár gcoinsias féin, a Pheadair?"

"Ó, níl a fhios agam, a Mhairéad. Tá muid i ladhar an chasúir, nach bhfuil?"

"Tá an saol ag athrú, a Pheadair, agus go sciobtha. Lá eicínt, amach anseo, nuair a bheas muid féin sean, agus b'fhéidir an intleacht ag meath, an mbeidh muid ag iarraidh ar ár gcuid gasúr féin cúnamh a thabhairt dúinn bás a fháil? Agus céard a déarfadh muid leo dá ndiúltóidís dár n-achainí?"

"Agus céard a cheapfadh muid díobh dá ngéillfidís agus an gníomh a dhéanamh?" arsa Peadar.

"Níl tada againn faoi láthair ach ceisteanna. Ní ábhar é seo a bhfuil freagra éasca air. Seachas ceist ar bith eile ar domhan," arsa Peadar.

"Céard é 'talamh eadrána', a Dheaid nó a Mham?" Tháinig Ciarán isteach sa seomra lena cheist féin, Brídeog leis.

"Níl tuairim dá laghad agam, a mhic. Mura bhfuil a fhios ag do mháthair é. Tá sí i bhfad Éireann níos cliste ná mise."

"Mo náire thú, a Pheadair," arsa Mairéad, "nach bhfuil a fhios ag an saol Fódlach gurb é sin '*no man's land*'. Ach cén t-údar atá le do cheist chomh deireanach seo san oíche?"

"Bhí muid ag comhrá le Bríd. An raibh a fhios agaibh go raibh páiste ag Bríd fadó?"

"Ar dhúirt sí libh go raibh?" arsa Mairéad, iontas ina glór agus ina héadan. Peadar agus a bhéal oscailte aige.

"Cinnte, dúirt. Is cosúil go bhfuil an páiste thíos le cladach. Dúirt sí gur dhúirt Colm léi é. Ba é Colm a deartháir. Sé Colm a dúirt go raibh an páiste i dtalamh eadrána."

"*No man's land!*" arsa Peadar. "Paistí gan bhaisteadh, chuirtí faoi chlaí teorann iad. Níor bhain siad le aon áit, leis an saol seo againne ná an saol eile. De bharr pheaca an tsinsir a deir siad. Ní raibh cead iad a chur i dtalamh coisricthe. Lisíní a thugtaí ar na reiligeacha a mbíodh gasúir gan bhaisteadh curtha. Níor thug an eaglais aitheantas dóibh go dtí le gairid.

"Ó, muise, an créatúr bocht," arsa Mairéad. "Níor inis sí dúinne é."

"Ach, fan ort, an raibh sí staidéarach nuair a dúirt sí é sin libh?" arsa Peadar. "Tá a fhios agaibh gur féidir léi a bheith trína chéile scaití."

"Bhí sí ceart faoi John Lennon. Chonaic muid ar an ríomhaire é," arsa Brídeog.

"Tá mé ag ceapadh go bhfuil sibh féin chomh trína chéile le Bríd bhocht," arsa Mairéad.

"Cuir ceist uirthi amáireach go bhfeicfidh tú," arsa Ciarán.

D'imigh an bheirt óga leo. Théis tamaill, d'éirigh Mairéad agus thosaigh ag múchadh na soilse. Chuaigh Peadar ag glasáil na ndoirse.

Ag dul thar sheomra Bhríde dó, d'oscail sé an doras agus chaith súil isteach. Bhí an solas beag oíche lasta. Thug sé faoi deara nach raibh Bríd sa leaba chor ar bith. Ghlac sé leis go raibh sí sa leithreas agus dúirt sé le Mairéad é. Chuir sé an glas ar dhoras na sráide.

"Níl Bríd sa teach chor ar bith, a Pheadair!" a bhéic Mairéad air.

"An bhfuil tú cinnte?" arsa Peadar.

"Níl sí in aon seomra sa teach," a deir a bhean leis go himníoch. "Cheap mé go mb'fhéidir gur i seomra na ngasúr a bhí sí ach níl sí ann. Tá siadsan ina gcodladh."

"Bhuel, mura bhfuil sí taobh istigh, is taobh amuigh atá sí," arsa Peadar. Bhí an-imní ar an mbeirt anois. "Seo linn go beo, a Mhairéad. Lasfaidh mé na soilse taobh amuigh. B'fhéidir nach bhfuil sí imithe i bhfad."

Bhain sé an glas den doras agus bhreathnaigh sé thart taobh amuigh. "Ó, a Mhaighdean, níl sí le feiceáil thart ar an teach, a Mhairéad. Tabhair leat an lampa agus téigh i dtreo an bhóthair. Tabharfaidh mise m'aghaidh ar bhóthar an chladaigh. Deifir! Deifir!"

Amach leis an mbeirt, Mairéad ag dul bealach amháin agus Peadar an treo eile. Bhí beagán solais ón ngealach agus bheadh sé éasca ag duine a bhealach a dhéanamh. Ach bhí an áit strainséartha do Bhríd. Bhí an-imní ar Mhairéad go mbeadh sí tite isteach i bpoll in áit eicínt. Bhí imní ar Pheadar gur tite i bhfarraige a bhí Bríd. Ba dhóigh leis go raibh a fhios ag Bríd go raibh an fharraige gar don teach. Ach, dá mba tromchodladh a bheadh uirthi, nó í as a meabhair, ní fios céard a dhéanfadh sí.

Théis tamaill d'éirigh a chroí. Chonaic sé an t-éadach geal tamall uaidh síos an bóthar. Nuair a tháinig sé chomh fada léi, chonaic sé gurbh iad a cuid éadaigh oíche a bhí uirthi. Éadach a bhí éasca a fheiceáil.

"Ó, a Bhríd, bhain tú léim as an mbeirt againn." Labhair sé go cineálta léi.

"Gar don aill atá sí," arsa Bríd. "An Aill Mhór. Chonaic Colm an spota. Dúirt sé liom é." Bhí sí ar creathadh leis an bhfuacht agus í go mór trína chéile.

"Tá tú ceart go leor, a Bhríd. Ná bíodh buaireamh ort faoi. Faoi sholas an lae an t-am is fearr le rudaí mar sin a phlé."

Rug Peadar ar láimh ar a aint agus shiúladar go mall i dtreo an tí. Chonaic sé solas ag luascadh, ag teacht anuas an bóthar. Ba í Mairéad a bhí ann.

"Míle buíochas le Dia," ar sise nuair a tháinig sí sách gar le iad a fheiceáil.

Thóg Mairéad lámh na mná eile agus ba ghearr go raibh sí sa leaba aici. Ghlasáil Peadar an doras aríst.

"Murach gur thug Dia dom súil a chaitheamh uirthi sula ndeachaigh mé a chodladh . . ." arsa Peadar, nuair a tháinig a bhean amach as an seomra.

"Ní mór dúinn súil a choinneáil uirthi, a Pheadair. Bhí an t-ádh linn anocht. Dá dtarlódh tada di agus í tagtha an bealach uilig as Meiriceá. Agus muide ceaptha breathnú amach di."

"Caithfear a chinntiú go bhfuil na doirse faoi ghlas agus gan an eochair a fhágáil ann."

Bhíodar uilig thart ar an mbord sa gcisteanach, an dinnéar ite. Chuaigh Peadar isteach san oifig agus thug amach toradh na taighde a rinne sé san oifig i nGaillimh an tseachtain roimhe sin.

"Níl a fhios agam an bhfuair mé an t-eolas a bhí uait, a Bhríd. D'éirigh liom a theacht ar an mbliain a bhí i gceist agat ceart go leor. Agus fuair mé go leor eolais nach raibh aon tsúil agam leis."

Shín sé na leathanaigh anonn chuig a aint, an bhliain 1932 ar barr. Thóg Bríd na leathanaigh agus thosaigh ag scrúdú an leathanaigh a bhí in uachtar. Chaith sí tamall maith ag breathnú ar an bpáipéar sular labhair sí.

"Níl sí ann," ar sí, ag caint léi féin. "Níor cláraíodh chor ar bith í. Níorbh fhiú leo a admháil go raibh a leithéid ann, ná a admháil go bhfuair sí bás. Nach gceapfá gur daoine cráifeacha a bhí iontu. Ar ndóigh, ní ligeadh m'athair fead ar an Domhnach ar fhaitíos gur peaca a bheadh ann. Is dóigh gur cheap siad gur peaca a bheadh ann í a chlárú."

Bhí Peadar den bharúil gur ar leanbh a bhí sí ag caint.

"Bhí na mílte ar fud na tíre ar tharla an rud céanna dóibh, a Bhríd. Sin mar a bhí an saol ag an am. Tá an tír breactha le huaigheanna beaga. Ach tá siad ag fáil aitheantais anois, ar deireadh thiar."

"Ó, muise, bhí dóchas eicínt agam go dtí anois," arsa Bríd go cráite.

Léim Brídeog ina suí.

"Seo leat, a Mhamó. Siúlfaidh muid amach tamall. Déanfaidh an t-aer úr maith duit."

"Níl morán misnigh agam inniu," arsa Bríd, "ach suífidh muid ar an tolg, a Bhrídeog."

Bhí cúpla ceann de bhabóga Bhrídeog ar an tolg. Thóg an bhean óg iad agus chaith anonn ag ceann eile an toilg iad. Shuigh Bríd.

"Anois, a Mhamó, déanfaidh mé cupán deas tae duit."

Isteach sa gcisteanach léi, san áit a raibh an chuid eile den chlann. "Beidh sí ceart go leor," arsa Brídeog leo.

Chuaigh Brídeog i mbun an tae. Théis tamaillín, chuala siad an crónán as an seomra suite mar a bheadh duine ag amhránaíocht.

Amach le Brídeog as an gcisteanach. Chonaic sí Bríd ar an tolg agus babóg ina bachlainn. Í dá luascadh féin anonn is anall mar a bheadh sí ag iarraidh páiste a bhogadh chun codlata.

"*Hush little baby, don't say a word, Mama's going to buy you a mocking bird. And if that mocking bird won't sing, Mama's going to buy you a diamond ring.*"

D'éalaigh Brídeog ar ais sa gcisteanach.

"Amáireach Dé Sathairn. Tá mise ag dul síos ansin amáireach go bhfeicfidh mé an bhfuil aon lorg ann," arsa Ciarán leis an gcuid eile, iad fós sa gcisteanach.

"An bhféadfadh sé a bheith ansin an t-achar sin de bhlianta, gan aon duine é a fheiceáil?" a deir a athair leis.

"Bhuel, tá teorainn ann, nach bhfuil, a Dheaid? Nach é sin a bhí i gceist aici leis an talamh eadrána? Agus tá an aill ansin, mar a tharraing sí ar an bpáipéar í."

"Ó, tá, go cinnte. Ach cé mhéad de scéal Bhríde atá fíor?"

"Nach cuma. Ní mharóidh sé mé an áit a thóraíocht," a deir a mhac leis.

"Gabhfaidh mise leat, a Chiaráin," arsa Brídeog.

Bhíodar ina suí go luath ar maidin Dé Sathairn. Shlogadar an bricfeasta agus thugadar a n-aghaidh ar an gcladach. Isteach leo sa ngarraí teorann a bhí os comhair na haille. Thosaigh siad ag cuartú thart ar fud an gharraí ach ní raibh maith dóibh ann. Ní raibh aon chosúlacht in aon áit gur cuireadh duine ann.

"B'fhéidir go raibh an ceart ag Deaid," arsa Ciarán. "Is cosúil nach bhfuil aon uaigh anseo."

"Dúirt Mamó go raibh," arsa Brídeog.

Shiúil an bheirt thart leis an gclaí.

"Níl aon chosúlacht ann," arsa Ciarán.

"B'fhéidir go raibh a hintinn ag imirt cleas uirthi," arsa Brídeog go díomách.

"Beidh a fhios agam an féidir tada a fheiceáil ó bharr na haille," arsa Ciarán.

Bhí an aill tirim. Dhreap Ciarán an aill nó go raibh sé ina sheasamh ar a barr. Bhí radharc maith aige ar an ngarraí amach os a chomhair.

"Dá mbeadh ceamara agat, b'fhéidir," arsa a dheirfiúr leis go dóchasach. "Rithfidh me suas chuig an teach agus gheobhaidh mé é." Bhí sí imithe sula raibh am ag Ciarán í a fhreagairt.

Bhí sí ar ais i gceann deich nóiméad agus an ceamara digiteach aici. Shín sí an ceamara chuig Ciarán agus thóg seisean cúpla pictiúr den gharraí ón aill. Shín sé an ceamara ar ais chuig a dheirfiúr agus shleamhnaigh sé anuas go talamh. Thosaigh siad ag scrúdú na bpictiúirí ach ní raibh tada suntasach le feiceáil.

"Ní dhearna muid aon mhaith leis an gceamara, faraor," arsa Brídeog.

Thosaigh an bheirt ag siúl abhaile. Ba mhór an t-údar díoma dóibh nach raibh tada le taispeáint acu théis a gcuid iarrachtaí.

"Tá intinn Bhríde ar seachrán, is dóigh," arsa Ciarán. "B'fhéidir nach raibh aon chiall le rud ar bith dár dhúirt sí."

Bhí Brídeog an-chiúin. Bhí brón uirthi nuair a chuimhnigh sí ar an méid cainte a rinne Bríd faoin bpáiste agus gach ar tharla di ina dhiaidh sin. B'aisteach an galar a bhí in ann ceannas a thógáil ar an intinn agus pictiúirí agus scéalta a chruthú nach raibh bunús ar bith leo. Agus chomh hinchreidte.

"Níl aon uaigh ann, a Dheaid. Chuartaigh muid an áit ó bhun go barr. Tada," arsa Ciarán nuair a tháinig siad isteach.

"Níl aon neart air. Bhí sí trína chéile. B'fhéidir gur theastaigh cuspóir eicínt uaithi ina saol. Tá bealaí ag an intinn chun sásamh a thabhairt di scaití, más in atá duine a iarraidh. Má tá an dúil ann, mar a déarfá."

"Cá bhfuil Bríd?" a d'fhiafraigh Brídeog.

"Tá sí ina luí," arsa a máthair léi, "bhí sí ag aireachtáil tuirseach, a deir sí."

"Thóg muid roinnt pictiúirí leis an gceamara ach níor thaispeáin tada é féin," arsa Brídeog.

"Céard a déarfas muid léi, nó an bhfágfaidh muid ag rámhaillí í?" arsa Ciarán.

"B'fhéidir gurb é an dóchas atá dá coinneáil beo," arsa Mairéad.

Bhí súil ag Brídeog go mbeadh freagra dearfach acu do Mhamó. Bhrisfeadh sé a gcroí an fhírinne a inseacht di.

"An bhfágfaidh muid rudaí mar atá, nó an mbrisfidh muid a croí leis an bhfírinne?" ar sí.

"Tá neart ama againn. Nuair a bheas sí níos láidre. Ar ball. Nó amáireach," a dúirt Peadar.

"Meas tú an é sin a bhíodh sí a thóraíocht ar Google Earth?" arsa Brídeog. Bhí an oiread trua aici don tseanbhean.

"Tabhair dom an ceamara." Bhuail smaoineamh Mairéad ar chloisint ráiteas a hiníne. Thug Brídeog an ceamara dá máthair.

"Cuirfidh mé na pictiúirí ar an ríomhaire. Is féidir liom iad a mhéadú. Beidh radharc níos fearr orthu."

Chuaigh Mairéad isteach san oifig agus cheangail an ceamara leis an ríomhaire. Tháinig na pictiúirí a thóg an bheirt óga aníos ar an scáileán. Tháinig an chuid eile den chlann isteach ina nduine is ina nduine.

Bhí an pictiúr den talamh ar an scáileán ag Mairéad agus í dá mhéadú. Bhí an pictiúr chomh mór ar deireadh is nach raibh sé an-soiléir. Bhí línte le feiceáil, b'fhéidir, nár cheart a bheith ann ach cheap Mairéad go bhfaca sí cruth áirid gar don chlaí, leath bealaigh suas an garraí.

"Níl a fhios agam," ar sí. "B'fhéidir nach tada é ach b'fhiú an áit sin a scrúdú."

"Déanfaidh mé féin é," arsa Peadar lena chlann. Ní raibh sé ag iarraidh orthu a dhul ag cuartú arís agus buille eile a fháil. D'imigh Peadar leis amach.

"An féidir liom a dhul isteach ag Mamó?" a d'fhiafraigh Brídeog dá máthair.

"Maith an bhean, caith súil uirthi go bhfeicfidh tú cén chaoi a bhfuil sí."

D'oscail Brídeog an doras agus shiúil isteach. Bhí Bríd ina luí os cionn an éadaigh ar an leaba. Bhí sí ag láimhseáil an bhosca bhig óir a bhí ina seilbh ó tháinig sí abhaile. Bhí sí dá iompú idir a méaracha, gan a bheith ag breathnú air. Cheap Brídeog go raibh sí dá dhéanamh i ngan fhios di féin.

"An bhfuil tada uait, a Mhamó?" arsa Brídeog.

Chas Bríd a ceann ina treo ach níor fhreagair sí. Cheap Brídeog nach bhfaca súile na seanmhná í. Bhí na súile cineál folamh. Bhraith an bhean óg nár chuala Bríd í ar chor ar bith. Amach léi as an seomra arís, corraithe go mór.

Bhí Peadar ar ais i gceann leathuaire. D'aithin siad air, sular labhair sé, gur dea-scéal a bhí aige.

"Tá uaigh ann," ar seisean. "Uaigh bheag chaol. Chart mé cuid de. Níor mhaith liom aon damáiste a dhéanamh."

"Agus?" arsa Ciarán.

"An bhfuil Bríd . . .?"

"Tá sí ina luí ar an leaba," arsa Brídeog.

"Tá cnámha beaga ann. Ní dheachaigh mé rófhada."

"Anois, nach raibh an fhírinne aici? Ní galar uilig a bhí ag caint," arsa Brídeog.

"Féadfaidh sibh féin é a inseacht di," arsa Peadar leis an mbeirt óga.

Isteach leis an mbeirt óga chuig Mamó.

"A Mhamó! A Mhamó!" Ghlaoigh Brídeog faoi dhó sular chas Mamó a ceann. Bhí sí mar a d'fhág Brídeog í tamall ó shin: í ina luí ar an leaba agus í ag casadh an bhosca bhig, ina leathláimh anois.

"A Mhamó?"

"*Yes, dear?*"

"Tá uaigh bheag thíos le taobh an chlaí teorann. Uaigh linbh, díreach glan san áit a dúirt tú linn."

Dhírigh Bríd aniar sa leaba ar an toirt.

"*I knew it! Colm told me! And you found it, about thirty minutes ago!*"

Bhreathnaigh Brídeog anonn ar a dearth/áir. Chroith sé sin a ghuaillí.

"Cheap mé gur chuala mé scread bheag. Scread bheag chráite." Na súile a bhí folamh ar ball, bhíodar anois mar a bheadh coinnle ar lasadh istigh iontu. Cheap Ciarán go raibh Mamó ag dul in aois na hóige os a chomhair amach. Bhí sí mar a bheadh cailín óg ann. "Cé a déarfadh nach bhfuil aon teacht as ifreann?" arsa Bríd go bródúil. "Bhí mé i liombó, chaith mé coraintín i bpurgadóir agus cuid de mo shaol in ifreann. Agus féach anois mé: sna flaithis ar deireadh! Tá mo chroí ar bharr na gaoithe," ar sí ag breathnú ar an mbeirt óg.

Luigh sí siar ar an leaba arís, í ag láimhseáil an bhosca bhig a bhí ina láimh mar a bheadh sé te bruite.

"An bhfuil aon rud ar domhan chomh deas le do mhuintir féin a bheith thart ort?" ar sí. Bhí sí ag breathnú suas ar an tsíleáil, loinnir ina cuid súl.

B'in an t-am a chuimhnigh an bheirt óga ar a muintir féin. Bhí siad chomh sona sásta go raibh toradh ar an tóraíocht sa ngarraí. Chuaigh Brídeog amach agus thug comhartha dóibh a theacht isteach sa seomra. Bhí a luach saothair acusan chomh maith.

Tháinig Mairéad agus Peadar isteach agus sheas le taobh na leapan. Chonaic siad an dreach folláin ar éadan na seanmhná. Bhí sí ina bean nua ag an scéal a bhí cloiste aici. Chualadar an glor ón leaba:

"Nach deas an t-am den bhliain an fómhar," ar sí. "Bíonn mé an-sásta sa bhfómhar. Tá dath álainn ar na duilleoga i Central Park inniu. Nach iontach go mbíonn dath chomh beo, chomh hálainn, ar rud a bhíonn ag seargadh agus ag meath." Bhí sí smaointeach anois.

Bhí Mairéad ag breathnú ar shúile Bhríde nuair a bhí sí ag caint. Dath síodúil, a cheap sí, a bhí ar na súile nuair a bhí intinn na seanmhná imithe thar farraige go Nua-Eabhrac. Ansin, chuala Mairéad puth beag gaoithe ag teacht as béal Bhríde, séideán beag caol mar a bheadh sí ag iarraidh coinneal a mhúchadh nó, b'fhéidir, duilleog a shéideadh de chrann i Central Park. Bhí sí fós ag breathnú ar an tsíleáil, an tsíodúlacht sna súile i gcónaí. Theann Mairéad níos gaire don leaba.

"A Bhríd?" ar sise. Níor thug Bríd aon aird uirthi. Ghlaoigh sí aríst. Níos airde an uair seo. "A Bhríd?"

Chuir Mairéad a lámh os cionn na súl. Níor chorraigh na fabhraí. Rug sí ar an láimh thanaí agus rinne iarracht cuisle a aimsiú.

"An bhfuil Mamó ceart go leor, a Mham?" a d'fhiafraigh Brídeog.

Bhreathnaigh Mairéad ar a hiníon agus chroith sí a ceann go brónach. Bhí a fhios ag Mairéad ansin nach ag breathnú ar an tsíleáil a bhí Mamó. Bhí Mamó ag breathnú níos faide ná sin. Bhí Mamó ag breathnú isteach sa tsíoraíocht.

"Tá Mamó imithe uainn," arsa Mairéad.

"An créatúr bocht," arsa Peadar, brón le cloisteáil ina ghlór.

Ag an am céanna chuimhnigh sé ar achainí Bhríde maidir le *euthanasia*.

"Nach nádúrtha, síochánta an bás a fuair sí," arsa Peadar ag breathnú ar Mhairéad. Fios maith ag a bhean céard a bhí i gceist aige.

Bhí an bheirt óg an-trína chéile. Ní raibh Mamó acu ach seacht seachtaine. Cheap siad nuair a tháinig sí ar dtús go mbeadh sí ansin ar feadh na mblianta.

"Beidh a páiste agus í fhéin san uaigh chéanna, nach mbeidh, a Dheaid?" arsa Ciarán agus a shúile fliuch.

"Beidh, go deimhin, agus sa gcónra chéanna," arsa a athair leis.

"Ní raibh sí i bhfad againn ach b'fhiú di a theacht," arsa Mairéad. "Déarfainn go bhfuair sí luach a saothair."

Thug Brídeog faoi deara go raibh an bosca beag a bhí ag Mamó tite as a láimh. Phioc sí suas an bosca agus scrúdaigh sí é. Bhí claspa beag ar a thaobh, agus nuair a bhrúigh an bhean óg é, d'oscail an bosca. Istigh, casta in éadach dearg, bhí bonn coisrictheagus dhá bhonn eile le ribíní orthu. Thaispeáin sí dá hathair iad ach ní raibh a fhios aige cén cineál a bhí sa dá bhonn leis na ribíní.

"Is cosúil le boinn iad sin a fhaigheann lucht airm ach níl mé cinnte de sin," ar sé.

"B'fhéidir go raibh Bríd san arm i Meiriceá?" arsa Mairéad.

"Níor dhúirt sí go raibh ach, ar ndóigh, is iomaí rud a bheadh le n-inseacht aici dá mairfeadh sí," arsa Peadar.

"Is féidir a fháil amach ar an idirlíon cén cineál boinn iad," arsa Ciarán, a ghlór briste le brón.

Chuir Brídeog na boinn ar ais san éadach agus leag sa mbosca iad. Chuir sí an bosca i láimh Mhamó agus dhún sí an lámh. Ba ansin a thug sí faoi deara go raibh scríbhinn greanta ar thaobh an bhosca.

"Meas tú cé hé Samuel?" arsa Brídeog leis an gcuid eile.

Bhí Peadar ag breathnú thart ar an seomra. Seomra Mhamó! Is dóigh go bhfanfaidh an t-ainm anois air, ar seisean leis féin. Leag sé súil ar an seanchlog a bhí béal faoi ar an mbord beag. Thóg sé ina láimh é.

"Is cosúil go bhfuil sé seo stoptha," ar seisean dá chroitheadh agus dá chur lena chluais.

"Ó, níl sé stoptha, a Dheaid," arsa Brídeog ag breathnú ar an gclog, "sin é am Mheiriceá!"